JEJUM

JEJUM

A DISCIPLINA PARTICULAR
QUE GERA RECOMPENSAS PÚBLICAS

JENTEZEN
FRANKLIN

Rio de Janeiro, 2010
www.edilan.com.br

JEJUM
Editora Luz às Nações © 2010
© 2008 by Jentezen Franklin

COORDENAÇÃO EDITORIAL	*Philip Murdoch*
TRADUÇÃO	*Maria Lucia Godde Cortez, Idiomas & Cia*
REVISÃO	*Idiomas & Cia*
CAPA	*Heston Delgado*
PROJETO GRÁFICO E DIAGRAMAÇÃO	*Julio Fado*
IMPRESSÃO	*Sermográfica*

Originalmente publicado nos Estados Unidos, sob o título *Fasting – Opening the door to a deeper, more intimate, more powerful relationship with God / Jentezen Franklin*, por Charisma House, A Strang Company, 600 Rinehart Road, Lake Mary, Florida, 32746. 1ª edição brasileira: Setembro de 2010.

CIP–BRASIL. CATALOGAÇÃO–NA–FONTE
SINDICATO NACIONAL DOS EDITORES DE LIVROS, RJ

F915j

Franklin, Jentezen, 1962–
    Jejum: a disciplina particular que gera recompensas públicas: como abrir a porta para um relacionamento mais íntimo, mais poderoso e mais profundo com Deus / Jentezen Franklin; [tradução Idiomas & Cia]. – Rio de Janeiro: Luz às Nações, 2010.

    Tradução de: Fasting: the private discipline that brings public reward
    Continua com: Jejum: abrindo a porta para as promessas de Deus
    ISBN 978-85-99858-26-4

    1. Jejum – Aspectos religiosos – Cristianismo. I. Título.

10–4223.   CDD: 248.47
                              CDU: 27–442.47

Todos os direitos reservados por
Editora Luz às Nações
Rua Rancharia, 62, parte – Itanhangá – Rio de Janeiro, Brasil
CEP: 22753–070 Tel. (21) 2490–2551

Dedicado afetuosamente a meu falecido pai, Billy D. Franklin, meu alicerce, aquele que moldou a minha vida.

Este livro também é dedicado a todos os membros da nossa família da igreja Free Chapel e do programa Kingdom Connection, que fielmente se unem a nós todos os anos em nosso Jejum das Primícias. Nós nos alegramos com vocês em tudo o que Deus tem feito e fará à medida que nós O buscamos juntos.

Agradecimentos

Gostaria de expressar o meu mais profundo agradecimento à minha esposa, Cherise, por seu constante apoio e encorajamento, e a meus queridos filhos, Courteney, Caressa, Caroline, Connar e Drake.

A Richie Hughes, por dedicar sua energia à execução deste livro.

A Susan Page, por sua ajuda incansável e de todo coração.

A Tomi Kaiser, por sua capacidade de unir histórias de sermões e transcrições para auxiliar na execução deste livro.

À minha mãe, Katie Franklin Lancaster, por me moldar dentro de um estilo de vida de jejum.

À congregação da Free Chapel. Obrigado por sonharem comigo.

Aos parceiros e amigos do programa Kingdom Connection, por seu apoio e orações.

A todos os dedicados editores de minha equipe ministerial. A criatividade e a atenção de vocês com os detalhes são uma bênção. Obrigado por me ajudarem a utilizar as páginas impressas para alcançar mais almas para o reino de Deus.

Índice

Prefácio

Considero um privilégio chamar Jentezen Franklin de meu amigo tanto no âmbito público quanto no privado. Muitos dos que ministram possuem grandes plataformas públicas, mas nem todos eles têm disciplina particular.

Após anos de amizade com Jentezen, sei que há certas horas durante a semana em que posso ligar para ele no telefone particular de seu lugar secreto, onde ele está se preparando para ministrar ao público. Também sei que posso ligar para ele durante todos os meses de janeiro, com meu pedido urgente de oração, sabendo que ele e sua igreja estarão em seu jejum anual de vinte e um dias. Eu o encorajo a ler este livro não apenas pelo que ele fará por você no âmbito público, mas acima de tudo, pelo que fará na esfera particular de sua vida.

– **Tommy Tenney**

Caçadores de Deus Network

A Disciplina Particular que Gera Recompensas Públicas

Introdução

Qual É o Segredo?

Bem-aventurados os que têm fome e sede de justiça, porque serão fartos.

— Mateus 5:6

Essa pergunta geralmente é feita por alguém que tem o desejo genuíno de ter mais intimidade com o Senhor e conhecer a vontade perfeita de Deus. Para mim, jejuar tem sido o segredo para as portas abertas, a provisão milagrosa, o favor, e o toque suave de Deus sobre minha vida. Eu estava em um jejum de três dias quando Deus me chamou para pregar. Eu estava em um jejum de vinte e um dias quando nosso ministério recebeu sua primeira doação de um milhão de dólares. Quando era evangelista, meu irmão e eu viajamos juntos. Nós nos revezávamos para pregar à noite. Na minha noite de folga, eu jejuava o dia inteiro por ele. Na noite de folga dele, ele jejuava o dia inteiro por mim. Passamos do anonimato para uma condição de portas abertas em todo o mundo através do poder do jejum. Toda missão nasce em algum lugar. Quando Deus coloca dentro de você um sonho que só Ele pode tornar possível, você precisa jejuar e orar. Seja bom ou mau, o que está dentro de você só sairá quando você jejuar e orar.

Agora que sou pastor, nossa igreja inicia cada ano com um jejum de vinte e um dias. Desde aqueles primeiros anos de ministério até o dia de hoje, jejuar se tornou um estilo de vida para mim. Quando sinto que estou ficando espiritualmente seco, quando não sinto aquela unção poderosa, ou quando preciso ter um novo encontro com Deus, jejuar é a chave secreta que abre a porta do céu e fecha os portões do inferno.

A disciplina do jejum libera a unção, o favor, e a bênção de Deus na vida do cristão. À medida que lê este livro, mostrarei a você o poder do cordão de três dobras. Mostrarei a você como cada personagem principal da Bíblia jejuava. Ensinarei a você como jejuar. E o que é mais importante, ao ler este livro, você desenvolverá uma fome pelo jejum. Não sei quanto a você, mas existem coisas que desejo mais do que comida. "Bem-aventurados os que têm fome e sede de justiça, porque serão fartos" (Mt 5:6).

Se você está lendo este livro, significa que provavelmente não está contente em viver este ano da mesma forma que viveu o ano anterior. Você sabe que existe mais. Sabe que existe uma missão para a sua vida. Sabe que existem coisas que Deus deseja liberar em sua vida, e há um desespero genuíno por essas coisas que arde em seu coração. Foi para você, e para pessoas como você, que este livro foi escrito. Agora, quero convidá-lo a iniciar esta maravilhosa jornada.

Guardai-vos de exercer a vossa justiça diante dos homens, com o fim de serdes vistos por eles; doutra sorte não tereis galardão junto de vosso Pai celeste.

Quando, pois, deres esmola, não toques trombeta diante de ti, como fazem os hipócritas, nas sinagogas e nas ruas, para serem glorificados pelos homens. Em verdade vos digo que eles já receberam a recompensa. Tu, porém, ao dares a esmola, ignore a tua mão esquerda o que faz a tua mão direita; para que a tua esmola fique em secreto; e teu Pai, que vê em secreto, te recompensará.

E, quando orardes, não sereis como os hipócritas; porque gostam de orar em pé nas sinagogas e nos cantos das praças, para serem vistos dos homens. Em verdade, vos digo que eles já receberam a recompensa.

Tu, porém, quando orares, entra no teu quarto e, fechada a porta, orarás a teu Pai, que está em secreto; e teu Pai, que vê em secreto, te recompensará. E, orando, não useis de vãs repetições, como os gentios; porque presumem que pelo seu muito falar serão ouvidos.

Não vos assemelheis, pois, a eles; porque Deus, o vosso Pai, sabe o de que tendes necessidade, antes que lho peçais. Portanto, vós orareis assim:

"Pai nosso, que estás no céu,
santificado seja o Teu nome;
venha o Teu reino;
faça-se a Tua vontade,
assim na terra como no céu;
o pão nosso de cada dia dá-nos hoje;
e perdoa-nos as nossas dívidas, assim como nós temos perdoado aos nossos devedores;
e não nos deixes cair em tentação; mas livra-nos do mal [pois Teu é o reino, o poder e a glória para sempre. Amém]!"

Porque, se perdoardes aos homens as suas ofensas, também vosso Pai celeste vos perdoará; se porém, não perdoardes aos homens [as suas ofensas], tampouco vosso Pai vos perdoará as vossas ofensas.

Quando jejuardes, não vos mostreis contristados como os hipócritas; porque desfiguram o rosto com o fim de parecer aos homens que jejuam. Em verdade vos digo que eles já receberam a recompensa. Tu, porém, quando jejuares, unge a cabeça e lava o rosto, com o fim de não parecer aos homens que jejuas, e sim ao teu Pai, em secreto; e teu Pai, que vê em secreto, te recompensará.

— Mateus 6:1-18

Capítulo 1

Jejuando por Uma Reviravolta em Sua Vida

Como suspira a corça pelas correntes das águas, assim, por Ti, ó Deus, suspira a minha alma. A minha alma tem sede de Deus, do Deus vivo; quando irei e me verei perante a face de Deus? As minhas lágrimas têm sido o meu alimento dia e noite, enquanto me dizem continuamente: "O teu Deus, onde está?"

— Salmo 42:1-3

O que é o jejum? Pelo fato de existirem muitos conceitos errados a respeito do jejum, quero primeiro esclarecer o que o jejum – o jejum bíblico – não é. Jejuar não é simplesmente ficar sem comer por algum tempo. Isto é fazer dieta, e talvez até morrer de fome, mas não é jejuar. Jejuar também não é algo que só é feito por fanáticos. Quero realmente deixar isto bem claro. O jejum não deve ser feito apenas por monges religiosos solitários em uma caverna em algum lugar. A prática do jejum não se limita a ministros do evangelho ou a ocasiões especiais.

Simplificando, o jejum bíblico é abster-se de alimentação com um propósito espiritual. O jejum sempre foi uma parte natural do relacionamento com Deus. Conforme Davi expressou em sua súplica apaixonada no Salmo 42, o jejum leva uma pessoa a um relacionamento mais profundo, mais íntimo e mais poderoso com o Senhor.

Quando você elimina a alimentação de sua dieta por alguns dias, seu espírito fica desobstruído das coisas deste mundo e passa a estar tremendamente sensível às coisas de Deus. Como Davi declarou, "Um abismo chama outro abismo" (Sl 42:7). Davi estava jejuando. A fome e a sede dele por Deus eram maiores do que o seu desejo natural por comida. O resultado foi que ele atingiu um lugar onde podia clamar das profundezas do seu espírito às profundezas de Deus, até mesmo em meio à sua provação. Uma vez tendo experimentado ainda que apenas um vislumbre desse tipo de intimidade com o nosso Deus – o nosso Pai, o santo Criador do universo – e das incontáveis recompensas e bênçãos que a seguem, toda a sua perspectiva mudará. Em breve você perceberá que jejuar é uma fonte secreta de poder que é negligenciada por muitos.

O cordão de três dobras não se rebenta com facilidade.

— Eclesiastes 4:12

Durante os anos em que Jesus andou nesta terra, Ele dedicou tempo a ensinar a Seus discípulos os princípios do reino de Deus, princípios que entram em conflito com os princípios deste mundo. Nas Bem-aventuranças, especificamente em Mateus 6, Jesus apresentou o padrão pelo qual cada um de nós devemos viver como filhos de Deus. Esse padrão tratava de três deveres específicos de um cristão: ofertar, orar, e jejuar. Jesus disse: "*Quando* deres esmola..." e "*Quando* orardes..." e "*Quando* jejuardes". Ele deixou claro que jejuar, assim como ofertar e orar, era parte natural da vida cristã. Deve-se dar tanta atenção ao jejum quanto se dá a ofertar e orar.

Os três deveres de todo cristão são ofertar, orar e jejuar.

Salomão, ao escrever os livros de sabedoria para Israel, deixou claro que um cordão, ou corda, trançado com três fios não se quebra com facilidade (Ec 4:12). Do mesmo modo, quando a oferta, a oração e o jejum são praticados em conjunto na vida de um crente, isto cria um cordão de três dobras que não se rompe com facilidade. Na verdade, como lhe mostrarei a seguir, Jesus ainda foi mais além dizendo: "Nada vos será impossível" (Mt 17:20).

Será que não estamos perdendo as nossas maiores vitórias por deixarmos de jejuar? Você se lembra da frutificação a trinta, sessenta e cem por um de que Jesus falou (Mc 4:8, 20)? Encare desta forma: quando ora, você pode liberar essa frutificação a trinta por um, mas quando a oração e as ofertas são parte de sua vida, creio que isto libera a bênção a sessenta por um. Agora, quando todos os três – ofertar, orar e jejuar – fazem parte de sua vida, a bênção a cem por um pode ser liberada!

Se for este o caso, você deve se perguntar: que bênçãos não estão sendo liberadas? Que respostas de oração não estão acontecendo? Que cadeias não estão sendo quebradas porque deixamos de jejuar?

Mateus nos conta a história de um pai que tinha um filho possesso por demônios. Durante anos ele contemplou impotente enquanto seu filho sofria graves convulsões. Quando o menino cresceu, os ataques ficaram tão sérios que muitas vezes ele se atirava no fogo ou na água. Um espírito de suicídio o atormentava constantemente; a situação passou a ameaçar sua vida.

Tendo esgotado todas as tentativas de curar o menino – até mesmo levando-o aos discípulos sem sucesso – o problema daquele pai parecia impossível. Então, ele ouviu falar que Jesus estava próximo. Indo até o Mestre, clamou: "Senhor, compadece-te do meu filho, pois tem sofrido horrivelmente com ataques epiléticos. Muitas vezes cai no fogo, e outras tantas na água. Apresentei-o aos teus discípulos, mas eles não conseguiram curá-lo" (Mt 17:15, KJV).

Quando o garoto foi levado até Jesus, a Bíblia diz que Ele "repreendeu o demônio; este saiu do menino, que daquele momento em diante ficou são" (v. 18, KJV). Mas o que foi que fez a diferença? Afinal, Mateus 10:1 relata que Jesus já tinha dado aos discípulos poder para expulsar espíritos malignos e para curar todas as doenças. Então, por que os discípulos não puderam expulsar o demônio e curar o garoto?

Era isso que eles também queriam saber, por isso mais tarde naquela noite, quando ficaram a sós com Jesus, eles perguntaram a Ele. Jesus respondeu: "Por causa da pequenez da vossa fé. Pois com toda a certeza vos afirmo que, se tiverdes fé do tamanho de um grão de mostarda, direis a este monte: 'Passa daqui para acolá', e ele passará. E nada vos será impossível! Contudo, essa espécie só se expele por meio de oração e jejum" (Mt 17:20-21, KJV).

Ora, já li esta passagem muitas vezes, e até fui ensinado a respeito dela algumas vezes. Mas todas as vezes eu me concentrei na declaração "e nada vos será impossível". Creio que muitas pessoas param por aqui, mas Jesus não parou, porque Ele sabia que havia mais – muito mais.

Observe que esta pequena palavra *contudo* é o elo de ligação – ela é a chave que destrava o poder da afirmação "nada vos será impossível". Jesus disse aos discípulos que eles precisavam de fé, ainda que essa fé fosse tão pequena quanto uma pequenina semente. Mas isto não era tudo. Muito antes desse incidente, o Espírito Santo havia levado Jesus para o deserto, onde Ele passou quarenta dias e quarenta noites sem qualquer alimento. "Contudo, essa espécie só se expele por meio de oração e jejum". Para Jesus, expulsar aquele demônio teimoso não foi impossível.

Se Jesus pudesse ter realizado tudo o que veio fazer sem jejuar, por que Ele jejuaria? O Filho de Deus jejuou porque sabia que havia coisas sobrenaturais que só podiam ser liberadas deste modo. Se foi assim na vida de Jesus, quanto mais não deve ser o jejum uma prática comum em nossas vidas?

O Jejum é Para Todos

Talvez você esteja pensando: "Ainda não entendo como o jejum pode ser realmente para mim". De acordo com as palavras de Jesus, é dever de todo discípulo e de todo crente jejuar. Quando Se dirigiu aos fariseus dizendo porque os Seus discípulos não jejuavam, Jesus respondeu: "Podeis fazer jejuar os convidados para o casamento, enquanto está com eles o noivo? Dias virão, contudo, em que lhes será tirado o noivo; naqueles dias, sim, jejuarão" (Lc 5:34–35).

Então, eles jejuarão. Jesus não esperava que Seus discípulos fizessem algo que Ele não havia feito. Jesus jejuava, e de acordo com as palavras de Pedro, Ele é o nosso exemplo em todas as coisas (1 Pe 2:21).

> O discípulo não está acima do seu mestre; todo aquele, po-
> rém, que for bem instruído será como o seu mestre.
>
> **— Lucas 6:40**

Há outro ponto vital que quero que você veja em Mateus 6: Deus se agrada em recompensar. Não apenas isto, mas Ele diz que quando ofertar, orar e jejuar forem práticas em sua vida, ele o "recompensará publicamente".

Um bom exemplo dessa recompensa pode ser encontrado em Daniel. Enquanto estava no cativeiro na Babilônia, o jejum de Daniel trouxe a recompensa de Deus – mesmo que ele tenha jejuado parcialmente, ao abster-se apenas de certos alimentos. Deus abençoou Daniel com sabedoria superior à de qualquer outra pessoa daquele império.

Mais tarde, no capítulo 10, Daniel sentiu a dor e o peso da revelação que havia recebido para Israel. Ele não comeu os pães e as carnes escolhidas e não bebeu vinho por três semanas. Então, ele descreve o anjo que havia sido enviado até ele – que havia sido *retido* pelo príncipe da Pérsia por vinte e um dias – com as respostas que Daniel buscava. O jejum de Daniel quebrou o poder daquele que retardava a bênção e liberou os anjos de Deus para que os Seus propósitos pudessem ser revelados e servidos.

Isto é apenas a ponta do iceberg. À medida que prossegue com a leitura, mostrarei a você como este cordão de três dobras funciona em cada área de sua vida. Você deseja conhecer a vontade de Deus para a sua vida, com quem deve se casar, ou o que deve fazer em uma situação crítica? Eu lhe mostrarei como o jejum pode levá-lo ao ponto de ser capaz de ouvir claramente a vontade de Deus.

O jejum também faz com que Deus se volte para os seus filhos. Você ficará impressionado com os testemunhos que ouvimos sobre jejum. Ele também traz saúde e cura para o seu corpo, assim como prosperidade financeira e as bênçãos de Deus.

Quer você deseje se aproximar mais de Deus ou esteja precisando viver uma grande reviravolta em sua vida, lembre-se que nada lhe será impossível. O jejum é realmente uma fonte secreta de poder!

Capítulo 2

Destronando o Rei Estômago

Jesus, cheio do Espírito Santo, voltou do Jordão e foi guia-
do pelo mesmo Espírito, no deserto, durante quarenta dias,
sendo tentado pelo diabo. Nada comeu naqueles dias, ao fim
dos quais teve fome.

— Lucas 4:1-2

Se você é como outras pessoas que já me ouviram fa—
lar pelo menos uma parte do que foi tratado no primeiro
capítulo, a esta altura você está começando a entender o
quanto a prática do jejum é crucial na vida de todo crente.
Mas se o jejum faz parte do cordão de três dobras dos de—
veres cristãos normais, por que ele é tantas vezes negligen—
ciado? Creio que a principal razão para isso se deve a algo
que tem atormentado a humanidade desde o princípio da
criação.

Veja, jejuar significa crucificar o que chamo de "Rei
Estômago". E caso você não saiba quem é o Rei Estômago,
tire este livro do caminho, olhe para baixo e apresente—se a

ele. Você provavelmente o ouviu roncar discordando uma ou duas vezes desde que você começou a ler este livro!

A cada ano, toda a nossa congregação da Free Chapel participa de um jejum de vinte e um dias. Sem exceção, os irmãos compartilham comigo que têm vontade de comer tudo que aparece na semana antes do início do jejum ou bem antes de iniciá-lo. Mas tudo bem. Quando você toma a decisão de jejuar, mesmo que seja apenas por um dia, Deus vê o desejo do seu coração. Ele lhe dará graça para suportar e para ver as reviravoltas que você precisa ver em sua vida. No entanto, você terá de escolher destronar esse "ditador dentro de você".

Já disseram que o caminho para o coração do homem é através do seu estômago. A maioria das mulheres sabe disso, mas precisamos entender que o diabo também sabe disso! Podemos dizer que algumas pessoas – principalmente os cristãos – representam a localização física do "poço sem fundo"! Reflita apenas por um instante no que aconte-ceu à raça humana enquanto estava sob o governo do Rei Estômago.

Podemos começar do princípio, voltando até o Jardim do Éden. A Bíblia relata:

E plantou o Senhor Deus um jardim no Éden, na direção do Oriente, e pôs nele o homem que havia formado. Do solo fez o Senhor Deus brotar toda sorte de árvores agradáveis à vista e boas para alimento; e também a árvore da vida no meio do jardim e a árvore do conhecimento do bem e do mal... E o Senhor Deus lhe deu esta ordem: De toda árvore do jardim comerás livremente, mas da árvore do conhecimento do bem e do mal não comerás; porque no dia em que dela comeres, certamente morrerás.

— Gênesis 2:8-9, 16-17

A mensagem parece suficientemente direta, não? Mas a serpente era perspicaz e convenceu Eva de que ela devia comer da árvore proibida, garantindo a ela que não morreria. "Vendo a mulher que a árvore era boa para se comer... tomou-lhe do fruto e comeu e deu também ao marido, e ele comeu" (Gn 3:6).

E com aquela única refeição, Adão e Eva imediatamente deixaram de desfrutar pacificamente da presença de Deus no refrigério do jardim e passaram a se esconder entre as árvores, com medo da Sua presença.

Eles literalmente foram expulsos de casa e do seu lar por causa da comida. Eles comeram, e ficaram de fora da vontade de Deus para suas vidas. Eles comeram, e ficaram de fora do plano e da provisão de Deus para suas vidas, ficaram de fora da Sua magnífica presença. Mas o estômago deles estava temporariamente satisfeito, e hoje ainda sofremos as consequências do apetite deles.

O Reino do Rei Estômago

Ao falar sobre os pecados de Sodoma e Gomorra, as pessoas geralmente se concentram no homossexualismo desenfreado que acontecia nessas cidades. Mas isto não é tudo que a Bíblia ensina. O Senhor disse a Israel através do profeta Ezequiel: "Eis que esta foi a iniquidade de Sodoma, tua irmã: soberba, fartura de pão e próspera tranquilidade teve ela e suas filhas; mas nunca amparou o pobre e o necessitado. Foram arrogantes e fizeram abo-

— 29 —

minações diante de mim; pelo que, em vendo isto, as removi dali" (Ez 16:49-50).

A primeira coisa que você deve notar é que não havia ofertas (pobre e necessitado) nem oração (soberba e próspera tranquilidade). Mas é interessante notar que os habitantes dessas cidades não eram apenas culpados de homossexualismo, de acordo com o relato de Gênesis, mas, como vemos aqui, eles também eram culpados de glutonaria (fartura de pão). Juntamente com os seus outros pecados, a lealdade excessiva deles ao Rei Estômago os levou direto para a condenação!

Outro exemplo brilhante de alguém que elevava e exaltava o Rei Estômago é Esaú, o filho de Isaque e Rebeca. Como era costume, Esaú era dotado com o direito de primogenitura especial próprio do primeiro filho homem. Esse direito de primogenitura trazia com ele a bênção especial de seu pai e certos privilégios. Ele garantia automaticamente que Esaú receberia porção dobrada de todos os bens de seu pai. Era uma bênção de Deus e não podia ser menosprezada.

Esaú era um caçador. Seu pai tinha prazer nele por causa da abundância de carne que ele trazia para a mesa. Mas quando Esaú voltou do campo um dia, talvez sem ter tido êxito na caçada, ele estava com fome. Seu irmão, Jacó, ia fazer uma refeição simples de lentilhas vermelhas e pão, então Esaú, insistindo que estava faminto, pediu a Jacó a mesma refeição. Quando concordou impulsivamente em trocar o seu direito de primogenitura pela refeição, "Deu, pois, Jacó a Esaú pão e o cozinhado de lentilhas; ele comeu e bebeu, levantou-se e saiu. Assim, desprezou Esaú o seu direito de primogenitura" (Gn 25:34).

Esaú vendeu seu cobiçado direito de primogenitura por causa da sua lealdade ao Rei Estômago. Deus tinha um plano, um destino, uma vontade para a vida de Esaú, mas a ânsia dele por comida e pela gratificação instantânea eram mais importantes. O escritor de Hebreus usou termos fortes para nos advertir contra nos tornarmos como Esaú:"Por que ninguém seja faltoso, separando-se da graça de Deus... nem haja algum impuro ou profano, como foi Esaú, o qual, por um repasto vendeu o seu direito de primogenitura. Pois sabeis também que, posteriormente, querendo herdar a bênção, foi rejeitado, pois não achou lugar de arrependimento, embora, com lágrimas, o tivesse buscado" (Hb 12:15-17).

Quando Deus libertou os israelitas depois de quatrocentos anos de escravidão opressora no Egito, milhões de israelitas e uma multidão mista de vários outros povos que a Bíblia chama de "populacho", foram conduzidos milagrosamente através do Mar Vermelho a caminho da Terra Prometida. Deus proveu cada necessidade da jornada, até mesmo alimentando-os com pão do céu diariamente. Este maná oferecia uma dieta tão perfeitamente balanceada que não houve uma única pessoa doente ou fraca entre eles por quarenta anos – sem médicos, farmácias ou hospitais. O alimento enchia o estômago deles e mantinha seus corpos saudáveis e fortes. No entanto, "o populacho que estava no meio deles veio a ter grande desejo das comidas dos egípcios; pelo que os filhos de Israel tornaram a chorar e também disseram:'Quem nos dará carne a comer? Lembramo-nos dos peixes que, no Egito, comíamos de graça; dos pepinos, dos melões, dos alhos silvestres, das cebolas e dos alhos. Agora, porém, seca-se a nossa alma, e nenhuma coisa vemos senão este maná'" (Nm 11:4-7).

Deus ouviu a murmuração e a reclamação deles. Como qualquer mãe pode confirmar, não é uma boa ideia fazer com que o cozinheiro fique zangado com você. Deus disse: "O Senhor vos dará carne, e comereis. Não comereis um dia, nem dois dias, nem cinco, nem dez, nem ainda vinte; mas um mês inteiro, até vos sair pelos narizes, até que vos enfastieis dela, porquanto rejeitastes o Senhor" (vv. 18-20). E Ele lhes enviou codornizes com tanta abundância que eles as empilharam em pilhas de quase um metro de altura! E comeram e comeram, e enquanto a carne ainda estava em suas bocas, milhares deles morreram e foram enterrados ali. E de acordo com o versículo 34, aquele lugar ficou conhecido como Quibrote-Hataavá, que significa "Os Túmulos dos que Cobiçaram", como um memorial àqueles que comeram tanto que ficaram de fora da Terra Prometida.

O comentarista Matthew Henry escreveu: "Os que estão sob o poder de uma mente carnal verão a sua concupiscência satisfeita, ainda que seja para o dano e a ruína garantida de suas preciosas almas"[1]. Quero que você entenda que existem algumas "terras prometidas" e algumas "promessas" que Deus tem para você. Na verdade, temos todo um livro de promessas, mas algumas delas jamais se realizarão enquanto o Rei Estômago governar o seu apetite e controlar a sua vida. Deus tinha bênçãos sobrenaturais para derramar sobre os israelitas no deserto, mas eles preferiram os seus apetites carnais. Do mesmo modo, Deus quer derramar bênçãos sobrenaturais sobre nossas vidas, mas elas nunca se realizarão se não estivermos dispostos a buscá-Lo em jejum e oração.

Deus sabe que não existe um tempo conveniente para se jejuar.

Em nossas vidas ocupadas, há sempre um feriado, um aniversário, um almoço de negócios, ou alguma coisa que cria uma "lombada" no meio da estrada, então convencemos a nós mesmos de que não devemos iniciar um jejum. Meu conselho a você, com base na minha experiência pessoal, é que você simplesmente comece, e o resto se arranjará! Se nunca jejuou antes, faça-o apenas por um dia e você verá o que quero dizer.

O motivo pelo qual jejuamos coletivamente na Free Chapel no início de cada ano baseia-se em princípios que foram adotados com base no livro do Dr. Bob Rodgers, *101 Reasons to Fast* (101 Razões para se Jejuar). Há três razões pelas quais começar o ano com um jejum é uma boa prática. Primeiramente, ao fazer isso, você traça o rumo para o resto do ano. Assim como começar o seu dia orando traça o rumo do resto do dia e cobre qualquer coisa que possa acontecer, o mesmo é verdade quanto a começar o ano com um jejum. Você traça o rumo para todo o ano através do que faz com esses primeiros dias de cada Ano Novo. Você pode ir ainda mais fundo, dando a Deus a primeira parte de cada dia, o primeiro dia de cada semana, a primeira parte de cada nota de real, e o primeiro pensamento em cada decisão.

Em segundo lugar, "Bênçãos acontecerão a você e à sua família ao longo do ano porque você jejuou em janeiro". Até mesmo em Abril e Dezembro, quando você tem todas aquelas delícias que costumamos comer nas festas em mente, as bênçãos ainda o seguirão por causa do seu sacrifício ao Senhor no início do ano. Na verdade, foi próximo ao feriado de Ação de Graças que recebi uma ligação para ir até o banco. Quando cheguei, um homem e sua esposa me receberam e disseram: "Eis aqui um milhão de dólares para o programa de construção". Eu havia me esquecido do jejum que fizéramos dez meses antes, mas Deus não. Ele não apenas enviou alguém até nós com uma oferta de um milhão de dólares, como também enviou alguém com uma oferta de $ 500.000, uma oferta de $ 250.000, uma oferta de $ 50.000, e os milhões que foram entregues em ofertas regulares, tudo naquele mesmo ano.

Este terceiro ponto é muito poderoso. Quando você jejua no início do ano e ora, libera o princípio que se encontra em Mateus 6:33: "Buscai, pois, *em primeiro lugar*, o Seu reino e a Sua justiça, e todas estas coisas vos serão acrescentadas" (ênfase do autor). Se você busca a Deus em primeiro lugar no ano, prepare-se para ver todas estas "coisas" serem acrescentadas à sua vida ao longo do resto do ano!

Capítulo 3

Quanto Jejuar? Por quanto tempo? Até que ponto é saudável?

> *Do mandamento de Seus lábios nunca me apartei, escondi*
> *no meu íntimo as palavras da sua boca mais do que o ali-*
> *mento que me era necessário.*

> — Jó 23:12

No último capítulo, descrevi a queda de alguns que fra-
cassaram em destronar o Rei Estômago. Mas a Palavra de
Deus está cheia de testemunhos maravilhosos daqueles
que tiveram êxito. Foi durante um jejum de quarenta dias
que Moisés recebeu os Dez Mandamentos (Ex 34:27–28).
Quando Hamã ordenou o aniquilamento e o saque de
todos os judeus, Ester convocou todos os judeus de sua
cidade a se unirem a ela em um jejum total de alimento
e água por três dias. O resultado foi que os judeus foram
poupados, o plano vil de Hamã foi revelado, e ele foi pen-
durado na mesma forca que havia construído! (Ver Ester
4–7). Ana, profundamente angustiada por não poder gerar
um filho, "chorava e não comia", como relata 1 Samuel

1:7. Deus ouviu seu clamor, e logo nasceu o profeta Samuel. Judá, Esdras, o povo de Nínive, Neemias, Davi e a profetiza Ana também estão entre aqueles cujos jejuns são famosos na Palavra.

Tipos de Jejum

A Bíblia relata muitas circunstâncias, tipos e durações diferentes de jejum. Além dos que acabo de mencionar, Josué jejuou quarenta dias, e Daniel jejuou parcialmente por vinte e um dias. Está registrado que o apóstolo Paulo fez pelo menos dois jejuns: um por três dias e outro por quatorze dias. Pedro jejuou três dias, e, é claro, sabemos que Jesus jejuou quarenta dias no deserto.

Os três tipos de jejum encontrados nas Escrituras são o jejum absoluto, o jejum normal e o jejum parcial. O primeiro, o jejum absoluto, é extremo e só deve ser feito por períodos muito curtos. No jejum absoluto, você não ingere nada – nem comida, nem água. Dependendo da sua saúde, este jejum só deve ser tentado mediante consulta e supervisão médica.

No jejum normal, você se abstém de qualquer tipo de alimento por um determinado número de dias. Mas você bebe água, e muita! Dependendo da duração do jejum normal, você também pode escolher tomar caldo de carne e sucos para poder manter a sua força.

E existe o jejum parcial. O jejum parcial pode ser interpretado de várias maneiras. A única forma equivocada de interpretá-lo é escolher fazê-lo no horário entre onze da noite e seis da manhã – quando você está dormindo! O jejum parcial geralmente inclui abrir mão de certos alimentos e bebidas por um período prolongado.

O exemplo de jejum parcial que é usado mais comumente encontra-se no livro de Daniel. No início de seu cativeiro na Babilônia, Daniel e seus três companheiros se recusaram a comer as carnes escolhidas e os doces da mesa do rei, pedindo que em vez disso lhes fossem dados apenas legumes e água. Eles fizeram isto por dez dias para provar que ficariam tão saudáveis quanto os homens do rei. Mais tarde, no capítulo 10, angustiado com a situação de Israel, Daniel iniciou outro jejum parcial, sem comer doces, carne ou vinho por três semanas, durante as quais ele se concentrou na oração. No fim, sua oração foi respondida por um anjo.

A duração dos jejuns pode variar. Existem números expressivos na Bíblia, que incluem três dias, sete dias, vinte e um dias, e quarenta dias. Mas também temos referências a jejuns de meio dia e de vinte e quatro horas.

Não existe uma fórmula real que eu possa lhe dar para ajudá-lo a decidir que tipo de jejum e de qual duração é o certo para você. A duração do seu jejum deve depender das suas circunstâncias, mas não se prenda aos detalhes. Comece com um dia, do nascer do sol até o pôr do sol. Você ficará impressionado com a diferença que um único dia de jejum parcial ou normal fará na sua vida. Quando era adolescente, jejuava o dia inteiro no domingo até depois do culto. Isto me deixava muito mais sensível ao Senhor. Ficava tão sintonizado espiritualmente que não importava se ninguém mais fosse abençoado naquele dia – eu certamente era!

Não vá além do que você pode suportar. Não é necessário ser um herói e tentar fazer um jejum de quarenta dias se você nunca jejuou um único dia em sua vida. Simplesmente comece. Quando descobrir os benefícios do jejum, você estará a caminho de fazer dele uma prática de vida.

Haverá momentos em que o Senhor o impulsionará a fazer um jejum mais longo, mas para a maioria das pessoas, um jejum de três dias é muito prático. Um "jejum de Daniel", eliminando carne, pão e doces por vinte e um dias, é um jejum que praticamente qualquer pessoa pode fazer muito bem. Alguns podem achar que eliminar apenas esses três alimentos da sua dieta por três semanas não é nada demais. Mas se isto representa alguma coisa para você, certamente significará algo para Deus. Afinal, quando foi a última vez que anjos foram liberados para lhe transmitirem mistérios como o arcanjo Miguel transmitiu a Daniel?

Se não significa nada para você, não significará nada para Deus.

Em jejuns mais longos, costumo beber água, sucos, e até caldo de carne quando sinto que preciso de um pouco de força extra. Há um restaurante próximo de nossa congregação que costuma servir sopas. Eles já estão tão acostumados com os nossos jejuns anuais na Free Chapel que agora coam a sopa de macarrão com frango para podermos comprar só o caldo!

Dicas Práticas

Quero lhe dar algumas dicas sobre jejum que acredito que você achará úteis. Sempre que começar um jejum, lembre-se, se não significa nada para você, não significa nada para Deus. Se o jejum não estiver combinado com a oração e a Palavra, ele será apenas um pouco mais do que fazer dieta. Mas quero que você entenda algo muito importante: o jejum em si é uma oração contínua diante de Deus. Pode haver dias em que o céu se abrirá e o seu coração estará motivado a entrar em períodos de oração profunda. Mas pode haver outros dias em que a sua energia estará limitada e você não conseguirá se concentrar na oração de modo algum. Não se condene. Deus vê o seu sacrifício. Quando você está jejuando, não é hora de se sentar diante da TV. Afinal, por que você se torturaria com todos aqueles anúncios de comida?

Posso lhe dizer por experiência própria – não é uma boa ideia! Minha rotina normal é assistir ao noticiário antes de me deitar. Durante a segunda semana do meu primeiro jejum de vinte e um dias, a Pizza Hut apresentou a nova pizza deles. Todos os dias, durante o noticiário da noite, por volta das onze horas, aquelas imagens fumegantes de queijo derretido borbulhante, massa grossa crocante, molho de tomate e ingredientes variados por cima entravam em cena sem falhar um único dia! Eles levantavam uma fatia de pizza daquele tabuleiro enorme e o queijo simplesmente ia escorregando enquanto se derretia. Eu sabia para onde iria depois daquele jejum! Na verdade, eu aguardava ansiosamente aqueles comerciais! Uma noite, estava sonhando que estava prestes a comer uma daquelas fatias de pizza. O sonho era tão real, que me lembro de minha consciência gritando: "Isto não é certo! Não faça isto... só falta mais uma semana!" Mas enfiei a fatia em minha boca e mastiguei sem parar. Estava tão bom! Acordei minutos depois, perplexo, ao descobrir que quase a metade do meu travesseiro estava enfiada em minha boca!

O jejum é como uma limpeza geral em seu corpo!

Quando você começa a fazer jejuns mais longos, não é uma boa ideia se empanturrar nos dias que precedem o jejum. Na verdade, você deve começar a diminuir gradualmente a ingestão de alimentos, como uma forma de preparação. Independente da duração do seu jejum, quando você começar, deve tentar tomar pelo menos três litros de água filtrada durante o primeiro dia. Não recomendo água da torneira por causa das impurezas que ela contém. A água filtrada ou destilada elimina as toxinas e o veneno do seu organismo, o que o ajudará a começar com sucesso. Ela também ajuda você a se sentir cheio! A água é a melhor amiga de quem jejua, portanto, continue a beber muita água durante o jejum.

Quando jejuo, geralmente sinto dor de cabeça no primeiro dia ou nos dois primeiros dias. Muitas pessoas me disseram que o diabo fez com que elas sentissem dor de cabeça. Mas o mais provável é que seja simplesmente o seu corpo se livrando das toxinas que se acumularam durante um determinado período. Jejuar é como uma limpeza ge-

ral em seu corpo! O jejum dá a todo o seu sistema digestivo um descanso e, do ponto de vista médico, isto é muito
saudável. Se você tiver dor de cabeça enquanto jejua, é
sinal de que você precisava jejuar. As dores de cabeça são
resultado das impurezas e venenos que o corpo está quei-
mando para obter energia. Depois de três dias, as dores de
cabeça geralmente desaparecem.

Sempre que você jejua por pelo menos três dias, o seu
sistema digestivo se "desliga". Serei sincero com você: nem
sempre é agradável. Alguns se sentem sem energia, têm
dores de cabeça e não conseguem dormir, e, vamos encarar
os fatos, você vai sentir fome! Mas quero lhe garantir que
quando ultrapassar esses dois primeiros dias, se continuar
bebendo bastante água e suco, essas toxinas que envene-
nam o seu corpo serão eliminadas, e você descobrirá o que
só se pode descrever como um *doce lugar* no jejum!Nas
vezes em que fiz um jejum prolongado, à medida que meu
corpo eliminava toxinas durante os primeiros dias, não via
anjos nem ouvia violinos. Na verdade, eu não tinha muita
vontade de me concentrar em orar e em ler a Palavra. Mas
logo depois, as coisas sempre iam ficando mais claras, e
encontrava um lugar mais profundo em Deus onde todas
as outras coisas perdem a importância.

Salomão disse: "O que foi é o que há de ser; e o que se
fez, isso se tornará a fazer; nada há, pois, novo debaixo do
sol" (Ec 1:9). Embora os homens e mulheres de Deus te-
nham jejuado desde os tempos antigos, hoje temos muitos
livros nas estantes que anunciam os benefícios físicos desta
prática para a saúde. Até o físico grego Hipócrates (aproximadamente 460–377 A.C.), conhecido como o "pai
da medicina moderna" e cujos conceitos influenciaram

o desenvolvimento das práticas da medicina por séculos, acreditava que o jejum era muito saudável para o corpo.

Em seu livro *101 Reasons to Fast* (101 Razões para se Jejuar), o Pastor Bob Rodgers cita muitas declarações de Hipócrates e de outros que descobriram os inúmeros benefícios medicinais que o jejum pode exercer sobre o corpo. O jejum limpa o seu corpo. Ao iniciar um jejum, você perceberá uma espécie de camada sobre a sua língua por alguns dias. Isto é sinal de que o jejum está ajudando o seu corpo a eliminar toxinas. Testes provaram que os cidadãos norte-americanos consomem e ingerem em média um quilo e oitocentos gramas por ano de conservantes químicos, colorantes, estabilizantes, flavorizantes, e outros aditivos. Estas substâncias se acumulam em nosso corpo e geram doenças e enfermidades. Os jejuns periódicos são necessários para eliminar os venenos de nosso corpo. O jejum dá ao seu corpo tempo para curar a si mesmo. Ele alivia o nervosismo e a tensão e dá descanso ao seu aparelho digestivo. O jejum baixa a sua pressão sanguínea e pode diminuir os seus níveis de colesterol. [1]

O Dr. Don Colbert, médico, pesquisou e estudou a necessidade do corpo de se livrar das toxinas que causam doenças, enfermidades, fadiga, e muitas outras indisposições. Não pretendo abranger todos os aspectos e benefícios medicinais do jejum neste livro, por isso recomendo a leitura do livro *Toxic Relief* (Livre-se das Toxinas), do Dr. Colbert, para que você possa obter as diretrizes para o jejum do ponto de vista médico. O capítulo intitulado "Encontrando a Cura Através do Jejum" é uma excelente fonte de informação e prevenção. Ele diz: "O jejum não apenas previne doenças. Se for feito corretamente, o jejum traz benefícios curativos impressionantes para aqueles de nós que sofrem de enfermidades e doenças. Desde resfriados e gripes a doenças do coração, o jejum é uma poderosa chave para a cura do corpo". [2]

O Dr. Oda H.F. Birchinger, que supervisionou mais de setenta mil jejuns, afirmou: "O jejum é uma estrada real para a cura, para qualquer pessoa que concorde em fazê-lo, para a recuperação e regeneração do corpo, da mente e do espírito". Ele prosseguiu, dizendo: "O jejum pode curar e auxiliar no tratamento do reumatismo nas juntas e músculos, doenças do coração, da circulação, dos vasos sanguíneos, exaustão relacionada ao estresse, doenças de pele – inclusive espinhas e problemas com a cútis, ciclos menstruais irregulares e calores súbitos, doenças dos órgãos respiratórios, alergias como rinite alérgica e outras doenças dos olhos". [3]

Para testar os resultados do jejum sobre o corpo humano, o Dr. Tanner, outro médico, decidiu jejuar aos cinquenta e cinco anos, passando quarenta e três dias sem alimento. Ele fez isso sob estrita supervisão médica. Ao término do jejum, estava muito mais saudável. Aos sessenta anos, ele jejuou por cinquenta dias, e no meio do jejum, disse que viu as glórias inefáveis de Deus. Aos setenta e sete anos, o Dr. Tanner jejuou por cinquenta e três dias, e entre outras coisas que ocorreram, seus cabelos que eram finos e grisalhos foram substituídos por cabelos negros novos! Seus cabelos ficaram da mesma cor que eram quando ele era jovem. E mais, o Dr. Tanner viveu até os noventa e três anos de idade. [4]

O jejum desacelera o seu processo de envelhecimento. Moisés jejuava com frequência, inclusive fez dois jejuns de quarenta dias, e a Bíblia diz em Deuteronômio 34:7: "Tinha Moisés a idade de cento e vinte anos quando morreu; não se lhe obscureceram os olhos, nem se lhe abateu o vigor". O Dr. Tanner transmitiu alguns conselhos de suas próprias experiências, declarando: "Quando você jejuar, beba muita água". [5] A água é o grande agente de eliminação de toxinas do jejum. Um dos sinais de que estas toxinas e venenos estão sendo eliminados pode ser visto pela concentração de toxinas na nossa urina. Essas toxinas podem ficar dez vezes mais elevadas do que o normal quando você está jejuando. A urina fica mais escura porque o veneno e as toxinas que causam as doenças, que estão presos em seu corpo por causa de uma alimentação terrível, começam a ser eliminados.

Também está provado que o jejum aguça o seu processo mental, auxiliando e aperfeiçoando sua visão, audição, paladar, tato, olfato, e todas as faculdades sensoriais. O jejum quebra o vício da alimentação de má qualidade, ou "junk food". O jejum também pode quebrar o poder de um apetite incontrolável. Alguns estão escravizados pela nicotina, pelo álcool e pelas drogas, mas o jejum pode ajudar a quebrar estes vícios. [6]

Todos os anos, encorajo todos os membros da Free Chapel a se unirem a nós no nosso jejum de vinte e um dias. Se em vinte e um dias você pode ser uma nova pessoa, por que passar o resto de sua vida se sentindo enfermo, fraco, acima do peso e abatido? Por que não dar um passo radical de fé? Só temos uma vida para dar a Deus, portanto, vamos assumir o controle do nosso corpo e servir a Ele com o melhor que temos!

Capítulo 4

Toda Missão Nasce em Algum Lugar

As Minhas ovelhas ouvem a Minha voz; Eu as conheço, e elas Me seguem. Eu lhes dou a vida eterna; jamais perecerão, e ninguém as arrebatará da Minha mão.

—João 10:27-28

Amo as palavras de Jesus em João 10:27: "As Minhas ovelhas *ouvem* a Minha voz" (ênfase do autor). Foi assim que Ele nos criou. Ele fala conosco, e podemos ouvi-lo falar. Você quer ouvir a voz do Criador? Você quer conhecer Jesus mais profundamente? Você quer saber qual é a direção que Ele deseja que você tome na vida? Eu quero.

Quando estava concluindo este livro, estava iniciando o meu sétimo jejum total de vinte e um dias desde que entrei para o ministério. Comecei o meu primeiro jejum quando tinha apenas dezessete anos. Meus pais sempre foram exemplos de servos fiéis ao Senhor durante o meu crescimento, por isso, mesmo sendo ainda muito jovem, já tinha consciência de que o jejum era parte da vida de um verdadeiro seguidor de Cristo. Se você que está lendo este livro é pai ou mãe, quero que saiba que até mesmo as crianças podem começar a entender estes conceitos, e é importante que elas os aprendam enquanto ainda são pequenas.

Antes daquele primeiro jejum de vinte e um dias aos dezessete anos, eu já havia feito jejuns menores. Na verdade, foi durante um jejum de três dias que Deus revelou a Sua missão para a minha vida. Eu estava orando e buscando conhecer a Sua vontade. Foi quando Ele me chamou para pregar.

Toda missão, todo chamado de Deus, toda direção da parte Dele começa em algum lugar. Deus tem missões específicas para a sua vida. Mas como descobrir quais são elas? Como você pode ouvir a Sua voz? Como você pode saber qual é a vontade Dele para a sua vida, os planos Dele para você? Com quem você deve se casar? Onde você deve morar? Que emprego você deve aceitar? Que campo missionário está chamando pelo seu nome?

A resposta pode ser encontrada no apelo que Paulo fez aos Romanos: "Rogo-vos, irmãos, pelas misericórdias de Deus, que apresenteis o vosso corpo por sacrifício vivo, santo e agradável a Deus, que é o vosso culto racional" (Rm 12:1). Você se lembra dos três deveres cristãos que mencionei no primeiro capítulo? Ofertar, orar e *jejuar*. É assim que "apresentamos" o nosso corpo a Deus como um sacrifício "vivo". O jejum o mantém sensível ao Espírito de Deus, permitindo que você viva de uma maneira santa. Paulo prosseguiu dizendo: "E não vos conformeis com este século, mas transformai-vos pela renovação da vossa mente, *para que experimenteis qual seja a boa, agradável e perfeita vontade de Deus"* (v. 2, ênfase do autor).

O jejum mantém você sensível ao Espírito de Deus, permitindo que você viva de uma maneira santa.

Estou convencido de que jamais andaremos dentro da vontade perfeita de Deus até que O busquemos através do jejum. Quando apresenta o seu corpo desta maneira, você se abre para ouvir a Deus. Você provará ou descobrirá a Sua boa e perfeita vontade para a sua vida. Paulo estava jejuando quando Deus o chamou e compartilhou com ele a missão para a sua vida (At 9:7-9). Pedro estava jejuando no telhado quando Deus deu a ele uma nova revelação e chamou-o para levar o evangelho aos gentios (At 10). O jejum prepara o caminho para que Deus lhe dê uma revelação nova, uma visão nova, e um propósito definido.

No livro de Joel, o Senhor disse: "E acontecerá depois, que derramarei o Meu Espírito sobre toda a carne; vossos filhos e vossas filhas profetizarão, vossos velhos sonharão, e vossos jovens terão visões" (Jl 2:28). Deus ia derramar avivamento – *depois*. Ele estava revelando a Sua vontade para o Seu povo – *depois*. Depois de quê? Depois de um jejum. Israel estava em pecado, e Deus estava chamando o Seu povo para jejuar em arrependimento: "Tocai a trombeta em Sião, promulgai um santo *jejum*, proclamai uma assembleia solene" (v. 15, ênfase do autor). A promessa de Deus a eles foi que Ele derramaria avivamento e bênçãos sobre a terra. Não sei quanto a você, mas eu estou pronto para o tempo do "depois", quando Deus derramará o avivamento, quando nossos filhos e filhas profetizarão! O que estamos esperando quando lemos passagens bíblicas como 2 Crônicas 7:14? Você pode imaginar o que aconteceria se os crentes realmente tomassem posse disto, se eles se humilhassem (jejuassem) e orassem? Deus curaria nossas nações e enviaria o avivamento!

Mas se Ele vai derramar vinho novo, os nossos odres precisarão ser mudados. Jesus disse: "Ninguém põe vinho novo em odres velhos; do contrário, o vinho romperá os odres; e tanto se perde o vinho como os odres. Mas põe-se vinho novo em odres novos" (Mc 2:22). Eu nunca havia visto a ligação entre o jejum e o vinho novo antes. Mas se você olhar para esta passagem, Jesus havia acabado de dizer aos fariseus que os Seus discípulos jejuariam quando Ele tivesse partido. É o jejum que nos prepara para uma nova unção (v. 20). Deus não pode colocar esse tipo de vinho em odres velhos. Se você quer vinho novo, novos milagres, nova proximidade, nova intimidade com Deus, então é hora de convocar um jejum e substituir aquele odre velho pelo odre novo.

O jejum é uma tremenda arma e uma fonte de poder na vida do crente. As bênçãos em minha vida são atribuídas diretamente ao jejum. Não sou o maior pregador que existe; não tenho a mente brilhante de alguns, mas Deus disse que Ele não faz acepção de pessoas. Quando honrar e adorar a Deus apresentando o seu corpo como sacrifício

vivo através do jejum, você também conhecerá os propósitos Dele para a sua vida.

Talvez você esteja em uma situação tão desesperadora
que não possa se dar ao luxo de perder a vontade de Deus
para a sua vida. Conheci pessoas que estavam enfrentando situações literalmente de vida ou morte. Elas estavam
presas, pressionadas pelas circunstâncias, e sob o ataque do
inimigo. A única forma possível de sobrevivência era se
aproximar de Deus – de cuja mão ninguém pode nos ar-
rebatar – para ouvir a Sua voz, e para seguir o Seu plano.

Josafá, rei de Judá, estava em uma situação crítica se-
melhante. Ele era um rei que temia a Deus e que estava
cercado por um poderoso exército inimigo. Sem a inter-
venção do Senhor, a aniquilação era certa. A Bíblia relata
que "Josafá teve medo e se pôs a buscar ao Senhor; e apre-
goou jejum em todo o Judá. Judá se congregou para pedir
socorro ao Senhor; também de todas as cidades de Judá
veio gente para buscar ao Senhor... Todo o Judá estava em
pé diante do Senhor, como também as suas crianças, as suas
mulheres e os seus filhos" (2 Cr 20:3-4, 13).

Todo o Judá jejuou, até as mulheres e crianças. Eles precisavam desesperadamente conhecer o plano de Deus para
derrotar este grande exército inimigo. No meio daquela assembleia de pessoas que jejuavam, Deus falou com o
Seu povo através de um profeta, que os encorajou, dizendo: "Não temais, nem vos assusteis por causa desta grande
multidão, pois a peleja não é vossa, mas de Deus... Neste
encontro, não tereis de pelejar; tomai posição, ficai parados
e vede o salvamento que o Senhor vos dará, ó Judá e Je-

rusalém. Não temais, nem vos assusteis; amanhã saí-lhes ao encontro, porque o Senhor é convosco" (vv. 15, 17).

No meio de toda a assembleia, Deus disse a Judá exatamente como aquele exército inimigo se aproximaria e exatamente como eles deveriam reagir. Eles levantaram um grande louvor ao Senhor, e Ele preparou emboscadas contra o exército inimigo, e o derrotou. Ninguém escapou. Quando o povo de Judá chegou, levaram três dias inteiros para carregar os despojos!

Você quer que Deus lhe diga o que você precisa fazer neste momento da sua vida? Jejue, adore e busque a Sua presença. Aquiete-se e veja a salvação do Senhor! Eles nem sequer tiveram de lutar. Deus lutou por eles. A batalha durou um dia, e Deus não apenas os livrou, como também os prosperou. Foram necessários três dias para carregarem todas as riquezas! Estou pronto para ver algumas destas vitórias nas quais é necessário mais tempo para levar a vitória para casa do que para lutar! Você, sua família, e talvez toda a sua igreja devem fazer como Josafá e seguir em frente nos momentos de grande angústia. Deus o livrará e lhe mostrará o plano Dele para a sua vida!

Satanás Odeia Quando Você Jejua

Satanás fica perturbado – e é derrotado – quando você decide fazer mais do que ser um cristão de domingo de manhã. Ele provavelmente já tentou muitas vezes distrair você da leitura deste capítulo. O diabo sabe que o jejum libera o poder de Deus.

Você já se perguntou por que, entre todas as coisas, Satanás tentou Jesus no final do Seu jejum, provocando-

– O para que Ele transformasse pedras em pães? Jesus tinha poder para fazer isso, mas Ele veio para usar o Seu poder para servir aos outros, e não a Si mesmo. Além disso, Ele estava decidido a concluir o jejum que Deus O havia chamado para terminar. Jesus sabia que alguns dos benefícios do jejum não podem ser liberados de outra forma – e o diabo também! Quando Jesus voltou daquele jejum de quarenta dias, imediatamente começou a fazer poderosos milagres, "curando a todos os oprimidos do diabo" (At 10:38). Satanás precisava fazer com que Jesus se concentrasse em Seu apetite, porque se Ele não fizesse isso, Jesus receberia de Deus o poder que transformaria o mundo!

Lembre-se, o objetivo do inimigo é roubar, matar e destruir você (Jo 10:10). Você acha que o inimigo *quer* que você acredite que nada é impossível para você? Ele sabe que é um derrotado, mas não quer que você saiba disso ou que você ande na esfera do poder de Deus. É por isso que é tão crucial para ele distrair você. Não permita que os inimigos em sua vida façam com que você se concentre mais no seu apetite ou nas circunstâncias do que nas promessas de Deus que são liberadas quando você coloca em ação a poderosa arma do jejum.

Capítulo 5

Espantando Moscas

Pois, outrora, éreis trevas, porém, agora, sois luz no Senhor;
andai como filhos da luz (porque o fruto da luz consiste em
toda bondade, e justiça, e verdade), provando sempre o que
é agradável ao Senhor.

— **Efésios 5:8-10**

Começamos cada Ano Novo na Free Chapel com um jejum coletivo de vinte e um dias. Todos participam de alguma forma. Alguns podem jejuar um dia, outros três dias,
alguns uma semana, outros até os vinte e um dias. Como
corpo, quando todos jejuamos juntos durante aquele período de vinte e um dias, Deus é honrado, e Ele recompensa esse sacrifício coletivamente e individualmente. Mas
algumas pessoas nunca estão satisfeitas. Houve pessoas que
testemunharam que depois de apenas *três dias* de jejum
por um ente querido que sofria de câncer, o câncer foi
completamente curado! O filho de outra senhora estava
morrendo com uma febre associada à leucemia. No pri-

meiro dia do jejum, a febre do garoto cedeu, e ele não teve nenhum vestígio de dano cerebral!

Essas pessoas receberam recompensas milagrosas de Deus por seus sacrifícios. Mas isso não era o bastante. Ambas continuaram jejuando durante os vinte e um dias. Na verdade, uma delas ultrapassou os vinte e um dias e continuou por quarenta dias seguidos. Como você verá no capítulo 9, não apenas o câncer de seu filho foi paralisado, como os impedimentos financeiros com os quais ela havia lutado durante toda a vida foram quebrados de forma sobrenatural.

Por que essas pessoas não ficaram satisfeitas em jejuar apenas até que viram a mudança que precisavam em suas vidas? O jejum não é apenas uma disciplina de ordem física; ele pode ser um banquete espiritual. Quando você "prova e vê que o Senhor é bom" (Sl 34:8), a sua fome por mais da Sua presença desfaz a limitação do seu entendimento. Deus sabe mais sobre o que você precisa do que você mesmo. Todos os jejuns da Bíblia – seja de um ou de quarenta dias – trouxeram recompensa. Mas existe algo muito significativo sobre o número quarenta ao longo das Escrituras, principalmente no que diz respeito ao jejum.

Há alguns anos, estava lendo um livro que alguém havia me dado intitulado *Prophetic Whisper* (Sussurro Profético) de Richard Gazowsky. É um livro interessante sobre a jornada deste homem seguindo o chamado do Senhor para criar redes de televisão cristãs. No início do livro, ele fala sobre um acontecimento que realmente me chamou a atenção.

O Sr. Gazowsky e sua esposa estavam em um período de jejum e estavam orando em uma praia da Califórnia. Sua esposa aparentemente havia caminhado um pouco mais à frente ao longo da praia e começou a orar por uma mulher que eles conheciam que estava sendo tentada a cometer adultério. No instante em que ela disse o nome da mulher em voz alta, "um enxame de moscas subiu da superfície do oceano, como se orquestrado por um condutor invisível, e se arrastou como um cobertor por sobre a água e sobre a praia".[1] Ele correu para ver se sua mulher estava bem. Quando ela disse a ele que estava orando pela amiga deles, o Senhor revelou algo a que Gazowsky se referiu como uma "vulnerabilidade no reino de Satanás", que eram as moscas. [2]

Quando li isto, imediatamente pensei em Mateus 12:24: "Mas os fariseus, ouvindo isto, murmuravam: 'Este não expele demônios senão pelo poder de Belzebu, maioral dos demô-nios'". Eles estavam acusando Jesus de operar no poder de Satanás, ou, como o chamavam, Belzebu, que significa "se-nhor das moscas". É interessante que enquanto ela orava por alguém que estava sendo tentado por demônios, uma horda de moscas tenha vindo do nada e descido sobre sua mulher.

Como Gazowsky descobriu, a "fraqueza" diz respeito ao ciclo de vida das moscas. Você pode estudar qualquer das espécies delas e descobrirá que os seus ciclos de repro-dução podem variar de um dia a quarenta dias. É por isso que, para exterminar uma infestação de moscas, é neces-sário borrifar pesticidas durante quarenta dias consecutivos a fim de destruí-las completamente. Se você parar antes dos quarenta dias, destruirá somente a geração existente, mas a próxima geração sobreviverá. Assim como borrifar pesticidas por quarenta dias consecutivos elimina uma in-festação de moscas, quando entramos em um período de quarenta dias de jejum e oração, podemos nos libertar das cadeias em nossas vidas e nas vidas da próxima geração. Como Gazowsky observou, "O diabo é um combatente de curto-prazo".[3]

Jesus não jejuou por vinte e cinco dias, nem mesmo por trinta e oito dias. "E logo o Espírito O impeliu para o deserto, onde permaneceu por quarenta dias, sendo tentado por Satanás; estava com as feras, mas os anjos O serviam" (Mc 1:12, 13). Mais tarde, à medida que a crucificação de Jesus se aproximava, Ele falou diretamente aos Seus discípulos, compartilhando com eles as coisas que estavam por vir. Ele disse: "Já não falarei muito convosco, porque aí vem o príncipe deste mundo; e ele nada tem em Mim" (Jo 14:30). Satanás era considerado "o príncipe deste mundo", tendo usurpado a autoridade de Adão. Mas ele não tinha nada em Jesus. Jesus derrotou-o muito antes, quando não caiu em nenhuma das tentações do diabo no deserto.

Alguns de vocês podem estar lutando contra os mesmos pecados incômodos, ou pior, podem estar presos em cadeias que tentaram erradicar, mas as viram voltar de tempos em tempos. Talvez você tenha vivido livre dos efeitos de alguns desses pecados, mas está vendo o ciclo se repetir em seus filhos. Será necessário mais do que um mata-moscas para eliminar uma infestação dos agentes de Belzebu.

O Significado do Número Quarenta

Ao longo da Bíblia, o número quarenta representa limpeza e purificação. O dilúvio do tempo de Noé levou quarenta dias para limpar a terra da maldade. A vida de Moisés poderia ser dividida em três períodos diferentes de quarenta:

ele passou quarenta anos no Egito, quarenta anos no deserto, e quarenta anos libertando e conduzindo o povo de Deus à Terra Prometida. Ele também jejuou por quarenta dias em duas ocasiões: a primeira vez enquanto recebia a Lei de Deus na forma dos Dez Mandamentos, e a segunda vez quando intercedeu pelo pecado do povo.

Quando Jonas foi enviado a Nínive, ele deu aos habitantes daquela cidade quarenta dias para se arrependerem ou esperarem o julgamento. A Bíblia relata: "Os ninivitas creram em Deus, e proclamaram um jejum, e vestiram-se de pano de saco, desde o maior até o menor" (Jn 3:5). O rei convocou toda a terra a jejuar, dizendo: "Por mandado do rei e seus grandes, nem homens, nem animais, nem bois, nem ovelhas provem coisa alguma, nem os levem ao pasto, nem bebam água; mas sejam cobertos de pano de saco, tanto os homens como os animais, e clamarão fortemente a Deus; e se converterão, cada um do seu mau caminho e da violência que há nas suas mãos. Quem sabe se voltará Deus e se arrependerá, e se apartará do furor da Sua ira, de sorte que não pereçamos?" (vv. 7–9). A humildade, o arrependimento e a adoração deles foram vistos por Deus, e eles foram recompensados com misericórdia em lugar de juízo.

Há uma liberação profética que ocorre em uma igreja ou em um indivíduo que jejua continuamente por quarenta dias.

Depois de derrotar quatrocentos e cinquenta profetas de Baal e de ordenar a execução deles, Elias fugiu para o deserto para escapar das ameaças mortais de Jezabel. Deus enviou um anjo para alimentá-lo e para cuidar dele enquanto ele descansava. Depois de comer a refeição que o anjo preparou, Elias passou os quarenta dias que se seguiram sem qualquer alimento. Durante esse período, ele falou com Deus e recebeu uma nova direção. As suas inseguranças e dúvidas foram removidas, e a opressão do inimigo foi quebrada.

Mas existe mais. A palavra que Elias recebeu durante aquele jejum de quarenta dias afetou até mesmo a geração seguinte. Ele seguiu a instrução de Deus para ungir Jeú, Eliseu e outros para completarem a obra, e Jeú recebeu o crédito pela destruição total de Jezabel. Como conta o relato, os que foram enterrar o seu corpo depois que ela foi atirada da torre encontraram apenas a sua caveira, seus pés, e as palmas de suas mãos. Eles contaram a Jeú: "Esta é a palavra do Senhor, que falou por intermédio de Elias, o tesbita, seu servo, dizendo: 'No campo de Jezreel, os cães comerão a carne de Jezabel. O cadáver de Jezabel será como esterco sobre o campo da herdade de Jezreel, de maneira que já não dirão: 'Aqui jaz Jezabel'''" (2 Rs 9:36-37).

Na Bíblia, as moscas representam demônios, assim como outros animais. Se você pudesse ver o mundo espiritual, perceberia que muitos demônios se parecem com animais. Por exemplo, a Bíblia diz que quando a semente da Palavra de Deus é semeada, os pássaros do ar vêm comê-la (Mt 13:4, 19). Quando Jesus disse: "Pegarão em serpentes" (Mc 16:18), Ele estava Se referindo a poderes demoníacos. A Bíblia fala sobre pisar serpentes e escorpiões (Lc 10:19). Davi, antevendo a experiência de Jesus na cruz, disse: "Fortes touros de Basã me rodeiam" (Sl 22:12). Esses espíritos foram até Ele, dando chifradas como touros.

Esses espíritos demoníacos se ligam às nossas vidas na forma de maldições hereditárias, cadeias, fortalezas na mente, luxúria, perversão, e vícios de todo tipo. O problema da maioria das igrejas é que apenas espantamos as moscas por alguns dias quando elas estão bem diante do nosso rosto. Elas se vão por algum tempo, mas continuam voltando. É hora de limpar a casa! É hora de um período de purificação bíblica. Os demônios começarão a cair como moscas. Isso mesmo! Não apenas aqueles que estão na sua vida e na sua geração, mas também a futura geração de demônios que seria passada aos seus filhos.

Salomão escreveu: "A mosca morta faz o unguento do perfumador exalar mau cheiro" (Ec 10:1). As moscas entrariam no óleo especial da unção. Elas ficariam presas nele, morreriam, e estragariam o aroma. As moscas impedem a unção na sua vida. A sua adoração fica poluída pelas moscas da luxúria e da perversão. Devemos andar naquela unção pura que atinge os corações, quebra o jugo, liberta do cativeiro, e cura os enfermos. É hora de nos livrarmos das "moscas" no seu negócio, no seu casamento, na sua mente, na sua casa. Elas não podem suportar o poder do Espírito Santo e a intimidade da presença de Jesus que surgem quando bombardeamos o céu por quarenta dias.

Alguns podem dizer: "Mas quarenta dias é tempo demais!" Será que é mesmo? Li um artigo no nosso jornal local sobre a celebração do Ramadan muçulmano, quando todos os muçulmanos – velhos, jovens, e até crianças – jejuam do nascer do sol até o por do sol por trinta dias. No fim de cada um desses dias, todos eles se reúnem para quebrar o jejum e para orar ao deus deles, Alá. Para eles, essa é uma forma de adoração que os ajuda a se concentrarem nas coisas espirituais em vez de nas necessidades terrenas. Eles se reúnem em todo o mundo para este evento religioso de trinta dias, sacrificando e orando a um deus que nem sequer está vivo; os ossos dele ainda estão no túmulo. Você sabia que o Islã é a religião que mais cresce nos Estados Unidos e no mundo? Previsões indicam que em poucos anos, de cada quatro pessoas em todo o mundo, uma estará convertida ao Islamismo.

Os escândalos e a corrupção que estão na primeira página dos nossos jornais e a perversão que prevalece em todos os níveis da sociedade nos diz o quanto precisamos de avivamento neste mundo. Se a mídia se manifesta, quanto mais não devemos nós, como cristãos, nos dedicar ao jejum e à oração? Deus prometeu: "Se o Meu povo, que se chama pelo Meu nome, se humilhar, e orar, e Me buscar, e se converter dos seus maus caminhos, então, Eu ouvirei dos céus, perdoarei os seus pecados e sararei a sua terra" (2 Cr 7:14). Deus não mente. Suas promessas são verdadeiras. As recompensas de Deus estão esperando para serem liberadas, então, o que estamos esperando? Não importa o quanto os dias sejam de trevas, ou o que está acontecendo na Casa Branca ou no exterior. Deus governa e reina acima de todas essas coisas.

Veja o jejum de Daniel como exemplo. Durante três semanas, ele disse: "Manjar desejável não comi" (Dn 10:3). Geralmente consideramos que os "manjares desejáveis" são os pratos relativos a festas, como doces e coisas parecidas. Isto pode não parecer um grande sacrifício, até você pensar no fato de que somos viciados em açúcar! De acordo com a pesquisa do Dr. Colbert, os norte—americanos consomem aproximadamente cinco mil e cem quilos de açúcar duran— te toda a vida! [4] Se você fizesse um jejum apenas de doces por quarenta dias, livraria o seu corpo de muitas toxinas e provavelmente perderia muitos quilos. Para alguns de vocês, seria um enorme sacrifício!

Daniel também não bebeu vinho. Sendo crente nos dias de hoje, isto certamente não seria um problema. Mas de— pois ele disse que não comeu carne. Isto vai ser duro para muita gente!

Sem refrigerantes, barras de chocolate recheadas, bis— coitos, bolos, cereais açucarados (sim, o açúcar está por toda parte na nossa dieta), cachorros—quentes, hambúrgueres, bifes, costelas na brasa... Posso continuar indefinidamente.

Mas Deus vê esse sacrifício. Quando você sai com os colegas do escritório para uma churrascaria e prefere co— mer uma salada, batata assada (sem cubinhos de bacon) e beber água, em vez de comer aquele bife ao ponto de qui— nhentos gramas, Deus observa. Você está se limpando, está se purificando, e está destruindo as moscas!

Você pode deixar de lado aquela barra de chocolate que come à tarde para ser liberto de um pecado que não o abandona? Para ter mais da presença de Jesus em sua vida, você pode beber água em vez de bebidas açucaradas e ca— feinadas durante quarenta dias? Você quer fazer mais do que apenas espantar as moscas da dúvida e da confusão que inundam os seus pensamentos?

Como Jesus disse aos discípulos no poço em Samaria, quando você se abre para conhecer a vontade do Pai, ne— nhum bife ou bolo pode se comparar a isto. Nada pode saciá-lo e satisfazê-lo tanto assim. Prepare-se para desfrutar da presença de Jesus como você nunca experimentou antes.

Capítulo 6

Deus Vem Para Jantar?

Se Eu tivesse fome, não to diria, pois o mundo é Meu e quanto nele se contém. Acaso, como Eu carne de touros? Ou bebo sangue de cabritos? Oferece a Deus sacrifício de ações de graças e cumpre os teus votos para com o Altíssimo; invoca-me no dia da angústia; Eu te livrarei, e tu Me glorificarás.

— Salmo 50:12-15

Se não tomarmos cuidado, podemos permitir que a vida nos prenda naquelas mesmas velhas rotinas sem que sequer percebamos. O nosso relacionamento com o Senhor pode ter o mesmo destino. Quando não fazemos o que é preciso para permanecermos aguçados e sensíveis ao Espírito Santo, o nosso louvor, a nossa adoração, as nossas ofertas, e até a nossa pregação podem se transformar em rotinas destituídas de sentimento para Deus. Na qualidade de crente, você pode orar, ler sua Bíblia, e ir à igreja semana após semana e ainda estar perdendo de vista o seu primeiro amor. Não é que você não ame o Senhor, mas a agitação da vida pode levá-lo a perder o seu frescor, o seu entusiasmo, e a sua sensibilidade ao Espírito de Deus e ao que agrada a Ele.

Minha mãe era uma excelente cozinheira. Mas se ela ficasse tão envolvida com outras coisas que tudo que colocasse na mesa para nós fosse bolo de carne todas as noites durante a semana, não creio de demoraria muito até que eu encontrasse outro lugar para comer. O som decepcionante de comentários do tipo: "Ai, mãe, bolo de carne de novo?" seria comum em minha casa. E se Deus estivesse com fome e tudo que tivéssemos para dar a Ele fossem as nossas mesmas rotinas religiosas monótonas, dia após dia? Assim como eu faria se tivesse bolo de carne na mesa todas as noites, posso ouvir nosso Pai celestial suspirar e dizer: "Religião, de novo?".

Fora da Caixa da Religião

Foi por isso que Deus disse a Israel: "Se Eu tivesse fome, não to diria, pois o mundo é Meu e quanto nele se contém" (Sl 50:12). Deus é o dono do gado que pasta por milhares de montanhas. Ele não precisa das nossas rotinas. Ele não saboreia a atividade destituída de sentimento. Ele não quer as nossas "sobras" quando pode se "alimentar" em outro lugar. A verdadeira adoração que vem dos nossos corações O alimenta e O satisfaz, e isso é algo que Ele deseja – e merece. A nossa religiosidade de fazer as coisas por fazer uma vez por semana não O agrada tanto quanto a nossa obediência à Sua Palavra.

O motivo pelo qual este assunto foi colocado em um livro sobre jejum é simples: o jejum é um meio constante de se renovar espiritualmente. A disciplina do jejum faz você sair da rotina do mundo. É uma forma de adoração – oferecer o seu corpo a Deus como sacrifício vivo, santo e agradável (Rm 12:1). A disciplina do jejum humilhará você, fará você lembrar-se da sua dependência de Deus, e o trará de volta ao seu primeiro amor. O jejum faz com que as raízes do seu relacionamento com Jesus se aprofundem.

Deus quer se mover poderosamente em sua vida. Os planos Dele para você estão sempre progredindo e se desenvolvendo. Ele quer falar com você, como alguém fala com o seu amigo. É por isso que Ele falava com Abraão. Quando Deus foi julgar a maldade de Sodoma e Gomorra, no caminho Ele parou na tenda de Abraão. Você pode imaginar olhar para fora um dia e ver o Senhor entrar pela sua porta da frente com dois anjos? Isso é que é algo extraordinário! Abraão correu para encontrar o Senhor e prostrou-se para adorá-lo. Ele pediu aos três visitantes para aguardarem para que ele pudesse levar água para lavar os pés deles e para preparar uma refeição. Os três aceitaram o convite e ficaram.

O jejum é um meio constante de se renovar espiritualmente.

Abraão era um homem que adorava a Deus, que falava com Deus, e que havia respondido ao chamado de Deus para deixar tudo e segui-lo em direção a uma terra que

Ele lhe mostraria. A adoração e a fidelidade de Abraão haviam alimentado Deus por muitos anos, e de repente ele tinha a oportunidade de alimentá-lo no sentido natural. Quando você alimenta Deus, Ele lhe dirá coisas que pode esconder de outros. A Bíblia diz que depois que eles comeram, Deus disse a Abraão que ele e Sara teriam um filho dentro de um ano. Ele até compartilhou com Abraão Seus planos para Sodoma e Gomorra. Observe, também, que Abraão então estava em uma posição de muita intimidade com Deus, que lhe permitia interceder em favor dos justos que pudessem ser encontrados naquelas cidades malignas.

Existem dimensões do nosso glorioso Rei que jamais serão reveladas ao adorador casual e desinteressado. Há muralhas de intercessão que jamais serão escaladas pelo serviço religioso realizado sem paixão. Mas quando você dá os passos para romper o que é comum e para adorá-lo como Ele merece, começa a ver facetas do Seu ser que você nunca imaginou que existissem. Ele começará a compartilhar segredos com você sobre Si mesmo, sobre os Seus planos, e sobre os desejos Dele para você. Quando você adora a Deus como Ele merece, Ele é engrandecido.

Davi era um homem segundo o coração de Deus. Ele era um homem que jejuava com frequência, e não fazia somente jejuns de alimento. Quando jovem, muitas vezes ele ficava nos campos sozinho, apenas com as ovelhas e com o seu Deus. Depois que foi ungido rei, ele passou muitos dias fugindo para salvar sua vida. Davi escreveu o Salmo 34 enquanto estava só, fugindo de Saul na terra dos filisteus. Mas Davi se animava para adorar a Deus mesmo nessas condições, proclamando: "O Seu louvor estará sempre nos meus lábios" (v. 1), e "Provai e vede que o Senhor é bom"

(v. 8). Alguém que adora a Deus apenas por rotina ficaria totalmente oprimido nessas circunstâncias. Mas Davi sabia que adorar a Deus era engrandecê-lo. O convite de Davi a todos nós "Engrandecei ao Senhor comigo" (v. 3) ainda está de pé hoje.

Quando eu era criança, não tínhamos brinquedos como Play Station e Nintendo. Tínhamos apenas brinquedos realmente simples e uma grande imaginação. Um dos melhores presentes que meus pais já me deram foi uma grande lente de aumento portátil. Para um garoto de seis ou sete anos, uma lente de aumento significa aventura à vista! Se eu a colocasse alinhada com a luz do sol, podia concentrar o calor daquela luz e fazer um buraco em um pedaço de papel, ou até torrar uma formiga inocente. E, é claro, havia a função principal: a capacidade de ampliar qualquer coisa que você quisesse ver. Quando eu segurava aquela lente diante de um objeto, conseguia ver todos os aspectos dele que não poderiam ser vistos com a visão normal. A ampliação não tornava aquele objeto maior do que ele era, mas ampliava em muito a minha visão, permitindo que eu visse detalhes que, sem a ampliação, estavam ocultos.

Davi estava nos chamando para adorar o Senhor com ele. Quando adora, você engrandece a Deus. Os seus inimigos ou circunstâncias podem parecer ser tão grandes e tão poderosos que eles são tudo que você consegue ver. Mas quando adora, você não apenas engrandece a Deus, como também reduz o tamanho e o poder de tudo o mais ao seu redor. Mais adiante, no Salmo 34, Davi disse: "Busquei o Senhor, e Ele me acolheu; livrou-me de todos os meus temores" (v. 4). Deus o ouvirá quando você dispuser seu coração para adorá-lo. Quando engrandece o Senhor, você encolhe o suposto poder do seu inimigo, o diabo. A maior coisa que você pode fazer em meio à batalha é engrandecer o Senhor. Josafá é prova disso. Quando estavam sob ataque, toda a nação clamou, jejuou, e adorou a Deus. Josafá enviou os adoradores adiante do exército para engrandecerem o seu Deus, e Ele livrou Judá completamente dos inimigos deles.

Quando Jesus falou com a mulher no poço em Samaria, as palavras Dele a libertaram. Ela havia sido casada muitas vezes e estava vivendo com um homem que não era seu marido. Seus parentes haviam adorado de forma rotineira em Samaria, mas haviam dito a eles que eles deviam adorar em Jerusalém. No Poço de Jacó, Jesus ensinou-a que os "verdadeiros adoradores adorarão o Pai em espírito e em verdade; porque são estes que o Pai procura para Seus adoradores" (Jo 4:23). Com todas as outras coisas que Ele dissera, ela soube que havia encontrado o Messias, ou pelo menos Ele a havia encontrado. Então, ela correu de volta para a cidade, dizendo a todos: "Vinde comigo e vede um homem que me disse tudo quanto tenho feito" (v. 29). A Bíblia diz que a cidade saiu para ver e ouvir Jesus – para adorá-lo.

Enquanto isso, os discípulos voltaram com comida, mas Ele lhes disse que não tinha fome. Ele disse: "Uma comida tenho para comer, que vós não conheceis... A Minha comida consiste em fazer a vontade daquele que Me enviou e realizar a Sua obra" (vv. 32, 34). A adoração daquela mulher havia deixado Jesus tão satisfeito que Ele já não tinha mais fome de comida natural. Os discípulos estavam ocupados buscando comida, mas aquela mulher dedicou tempo para adorar e alimentar Jesus com o que Ele mais desejava.

O que Deus está dizendo sobre você? Será que é: "Religião, de novo?" Ou será que Ele janta com você, tem comunhão com você, e compartilha com você os segredos profundos e os planos para o futuro? Seja o que for que você esteja enfrentando ou passando neste instante, quero que dê ouvidos ao chamado de Davi para engrandecer o Senhor. Se está envolvido em uma rotina onde a sua adoração simplesmente não está rompendo os céus, se você não ouve Deus falar há muito tempo, se as suas circunstâncias parecem ser o maior obstáculo da sua vida, pare tudo e comece um jejum. Um jejum de um dia, de vários dias, um jejum de certos alimentos ou de todos os alimentos — os detalhes não são tão importantes quanto o desejo do seu coração de satisfazer a Deus com a sua adoração e com o seu sacrifício.

Capítulo 7

Você Será Saciado

Está escrito: "Não só de pão viverá o homem, mas de toda palavra que procede da boca de Deus".

— Mateus 4:4

A nossa alimentação é repleta de açúcares, toxinas, comidas processadas, carnes, etc. Mas é possível fazermos refeições enormes, estarmos acima do peso, e *ainda assim* estarmos desnutridos. No livro do Dr. Colbert, *Toxic Relief (Livre--se das Toxinas)*, ele declara: "Podemos na verdade estar morrendo de inanição do ponto de vista nutricional, e ao mesmo tempo nos tornando obesos de uma forma repulsiva... Infelizmente, realmente estamos cavando o nosso próprio túmulo com os nossos garfos e facas!" [1]

Neste sentido, é fácil ver como nossa vida física mais uma vez faz um paralelo com a nossa vida espiritual. Podemos nos tornar "supernutridos" através de uma dieta pesada de programas e atividades de igreja, estruturas religiosas e tradições de homens, e ainda estarmos gravemente "subnutridos" no que se refere às coisas mais profundas de

Deus. Você sabe o que o Dr. Colbert menciona como sendo "a única resposta eficaz à supernutrição"? O jejum. Ele descobriu que "mais do que qualquer outra coisa, o jejum é uma chave dinâmica para limpar o seu corpo das toxinas colecionadas durante toda a vida, revertendo a supernutrição e as doenças que ela acarreta e garantindo um futuro maravilhoso de energia, vitalidade e longevidade renovadas e uma saúde abençoada". [2]

Jesus disse: "Bem aventurados os que têm fome e sede de justiça, porque eles serão saciados" (Mt 5:6). Quando você começa a desenvolver uma fome pelas coisas mais profundas de Deus, Ele o saciará. No entanto, às vezes simplesmente estar em um bom culto não basta. Creio que Deus já está levantando pessoas nesta hora que não querem mais simplesmente uma dieta de "igreja normal". Vejo isto na Free Chapel. As pessoas estão jejuando e desenvolvendo uma fome por mais de Deus, e as tradições religiosas estão simplesmente tendo de sair de cena. Pessoas famintas são pessoas desesperadas. Elas passarão por cima do que é usual; elas passarão por cima do ritual – elas não querem sair com fome.

Faminto na Carne... Faminto no Espírito

Jesus encontrou uma enorme fome ao visitar Tiro e Sidom. Uma mulher cuja filha estava possessa e atormentada por um demônio ouviu falar que Ele estava ali. Mas a mulher era grega, "de origem siro-fenícia" (Mc 7:26), e, deste modo, estava fora da aliança que Deus havia feito com Israel. Mas isto não importava para ela. Ela estava faminta, e a sua fé era perseverante. Mesmo quando Jesus desencorajou–a, dizendo que o "pão" era primeiramente para os filhos de Israel, ela teve fome suficiente para pedir até mesmo uma migalha que caísse no chão. Muitos dos filhos que se sentavam à mesa não haviam demonstrado uma fome tão grande. Jesus honrou o pedido, e sua filha foi curada por causa da sua perseverança (vv. 29–30).

Pessoas famintas são pessoas desesperadas, e elas têm fome por mais de Deus como nunca tiveram. Elas estão quebrando normas e regulamentos religiosos e o pensa–mento tradicional e estão rompendo essas coisas para ter mais do Seu poder para transformar as situações, mais do Seu poder curador, e mais do Seu poder para operar mila–gres! Só Jesus satisfaz essa fome!

Foi uma fome assim que foi ativada no coração de um centurião gentio na Cesaréia, que jejuava, orava sem–pre a Deus, e dava generosamente aos pobres. Embora fossem gentios, Cornélio e sua casa temiam e serviam a Deus com devoção. Quando Cornélio estava jejuando e orando, um dia, como Daniel, um anjo lhe apareceu com uma mensagem. O anjo disse: "As tuas orações e as tuas esmolas subiram para memória diante de Deus" (At 10:4). E então o anjo o instruiu a mandar chamar Pedro, que estava próximo, em Jope. Pedro, que também estava jejuando naquela ocasião, teve uma visão de Deus na qual muitos alimentos que aos judeus era proibido comer lhe foram apresentados. Ele ainda estava perplexo com a vi–são quando os mensageiros de Cornélio chegaram. Indo com eles até à sua casa no dia seguinte e ouvindo falar da fome que havia no coração daquele homem, Pedro entendeu que a visão significava que o evangelho não devia ser impedido de chegar aos gentios. Quando ele compartilhou o evangelho com os da casa de Cornélio, o Espírito Santo desceu e batizou a todos, e mais tarde foram batizados nas águas. (Ver Atos 10).

O jejum ativa uma fome em seu espírito que vai mais fundo do que a fome temporária que você sente na carne. Quando você tem fome de Deus, Ele o saciará. Jesus passou por cidades onde não pôde fazer milagres – porque não havia fome. Quando entrou em Cafarnaum, Jesus foi confrontado por um centurião romano cujo servo estava paralítico e atormentado (Mt 8:5-13). Mas o centurião sabia que bastaria uma palavra de Jesus para que o servo fosse curado. Quando ele disse essas palavras a Jesus, a Bíblia diz que Jesus ficou impressionado com a sua fé e disse aos que O cercavam: "Nem mesmo em Israel achei fé como esta!" (v. 10). Ele estava dizendo: "Tantos que são da linhagem de Abraão não possuem a fome que este homem demonstrou. Eles vêm Me ver, mas não têm fome". Nestes dias, Deus está dizendo: "Estou procurando alguém que deseje alguma coisa. Estou procurando alguém que faça mais do que aparecer, que tenha fome por aquilo que Eu quero colocar nele!".

Deus honra o que os outros chamam de fome "ilícita". Mateus 12:1-8 fala de um tempo em que Jesus e os discípulos estavam caminhando juntos e conversando. Os discípulos ficaram com fome, e enquanto andavam, eles "entraram a colher espigas e a comer" (v. 1). Mas era ilícito "colher grãos" no dia de descanso. Naquele dia você não devia trabalhar para si mesmo, mas se dedicar ao Senhor. Assim, quando os fariseus perceberam o que os discípulos estavam fazendo, eles disseram: "Teus discípulos fazem o que não é lícito fazer em dia de sábado!" (v. 2). Mas eles estavam andando e falando com o Senhor do Sábado! Assim, Jesus disse aos fariseus: "Não lestes o que fez Davi quando ele e seus companheiros tiveram fome? Como entrou na Casa de Deus, e comeram os pães da proposição, os quais não lhes era lícito comer, nem a ele nem aos que com ele estavam, mas exclusivamente aos sacerdotes?... Pois Eu vos digo: Aqui está quem é maior que o templo. Mas se vós soubésseis o que significa: 'Misericórdia quero e não holocausto', não teríeis condenado inocentes. Porque o Filho do Homem é Senhor do Sábado" (vv. 3-4. 6-8).

Os fariseus não conseguiam passar por cima das suas próprias tradições para reconhecer que o próprio Pão da Vida estava diante deles. Eles estavam satisfeitos com a sua própria religião e não tinham fome. Mas quando você tem fome de mais, você receberá mais. Deus quebrará todas as regras religiosas por você. Talvez alguém lhe tenha dito: "Com o seu passado, Deus não pode usá-lo", ou "Por ser mulher, você não pode pregar", ou "Você não tem os 'contatos' certos para fazer o que quer fazer". Quando você tem fome de Deus, Ele quebrará as regras dos homens e fará com que o Seu favor venha sobre a sua vida.

Qualquer pessoa pode ser normal. O normal é extremamente valorizado. Alguém precisa dizer: "Mas eu quero mais! Senhor, tenho fome! Vou ter de colocar a tradição de lado! Vou ter de colocar as regras religiosas de lado! Vou ter de colocar todos os rituais de lado porque estou morrendo de fome, e já não posso mais continuar vivendo a 'igreja normal'". Minha sugestão é começar colocando o prato de lado. Mostre a Deus que você está falando sério. Precisamos chegar ao ponto de estarmos desesperados por Deus outra vez. Precisamos começar a desejá-lo mais do que desejamos comida ou bebida. Vamos nos encher com o Pão da Vida em vez de nos enchermos com o refugo da religião. Comece a fazer do jejum uma disciplina regular, e veja como Deus responde à sua fome!

Capítulo 8

Recompensado Publicamente

Não temas, Abraão, Eu Sou o teu escudo, e teu galardão será sobremodo grande.

— Gênesis 15:1

Deus disse: "Chorem os sacerdotes, ministros do Senhor, entre o pórtico e o altar" (Jl 2:17). Em uma casa, o "pórtico" é a parte que todos podem ver; ela representa os aspectos mais públicos do seu ministério. O altar representa o ministério privado, ou seja, aquilo que você faz em particular. Na vida do crente, deve sempre haver mais ministério privado do que público para Deus. Quando lê sobre Jesus, você não O vê orando em público tanto quanto O vê orando em particular. A Bíblia diz que Ele geralmente orava durante toda a noite e tinha momentos de intimidade a sós com o Seu Pai. Fora desses momentos de devoção em particular, as demonstrações públicas do poder de Deus eram derramadas em curas, ressurreição de mortos, abundância, e muito mais. As vitórias não são conquistadas em público, mas em particular. É por isso que o jejum, seja coletivo ou individual, é uma disciplina privada, particular. Onde há pouca disciplina em particular, há pouca recompensa em público.

Mantenha as Coisas no Âmbito Pessoal

Anteriormente, mostrei como Jesus detalhou os três deveres do cristão em Mateus capítulo 6: ofertar, orar e jejuar. Contudo, há algo mais que quero que você veja nesse capítulo. Jesus disse: "Guardai-vos de exercer a vossa justiça diante dos homens, com o fim de serdes vistos por eles; doutra sorte, não tereis galardão junto de vosso Pai celeste". (Mt 6:1). Ele estava falando sobre os aspectos público e privado do ministério. Ele acrescentou: "Quando, pois, deres esmola, não toques trombeta diante de ti, como fazem os hipócritas, nas sinagogas e nas ruas, para serem glorificados pelos homens, Em verdade vos digo que eles já receberam a recompensa. Tu, porém, aos dares a esmola, ignore a tua mão esquerda o que faz a tua mão direita; para que a tua esmola fique em secreto; e teu Pai, que vê em secreto, te recompensará" (vv. 2-4).

Quer seja feito coletivamente ou individualmente, o jejum é uma disciplina pessoal e privada. É um sacrifício que nasce da expectativa. Isto não quer dizer que o jejum é uma ferramenta de manipulação para conseguirmos alguma coisa de Deus, mas um "culto racional" (Rm 12:1) que Deus recompensa publicamente. Você se lembra do retorno a cem por um? As recompensas de Deus são para todos verem. Olhe para a vida de Jó. Ele passou por uma provação devastadora e perdeu tudo. Suas riquezas, sua família e sua saúde, tudo lhe foi retirado. Mas ele orou, jejuou, e permaneceu fiel à devoção privada. Jó disse: "Estimei as palavras da Sua boca mais do que o meu alimento necessário" (Jó 23:12, KJV). E Deus "mudou a sorte de Jó" e lhe deu "o dobro de tudo o que antes possuía" (Jó 42:10). A Bíblia também diz que "abençoou o Senhor o último estado de Jó mais do que o primeiro" (v. 12) e até lhe deu mais filhos e filhas. As recompensas públicas de Deus inundaram a vida de Jó.

O jejum romperá com a pobreza em sua vida.

Agora, quero compartilhar com você algumas das recompensas públicas que Deus me disse que derramaria sobre nós da comunidade *Free Chapel* se fôssemos diligentes em buscá-lo através das ofertas, da oração e do jejum. Estas mesmas recompensas estão disponíveis para todos os crentes!

Em primeiro lugar, Ele me disse que o jejum romperá com a pobreza em sua vida. Como planto uma semente a cada vez que jejuo, maiores bênçãos retornam sobre minha vida. Olhando novamente para Joel 2:15-16, vemos que as pessoas eram tão pobres e estavam passando tanta fome que não podiam sequer ofertar. Mas Deus disse para "tocar a trombeta em Sião, promulgar um santo jejum, proclamar uma assembleia solene" (KJV). Depois desse jejum, as eiras se encheram de trigo, os lagares transbordaram, e eles comeram com abundância até ficarem satisfeitos. O Senhor trouxe grande bênção financeira ao povo que jejuou e orou. Quando o jejum é um estilo de vida, a pobreza com certeza não o será.

Isto não significa que você pode fazer um jejum de refrigerantes por um dia e ficar rico. Mas se começar a jejuar regularmente, honrando a Deus com jejum, oração e ofertas, você verá por si mesmo que isto está diretamente ligado à remoção da pobreza da sua vida. É interessante que os três homens mais sábios do Antigo Testamento – José, Daniel e Salomão – foram também os três homens mais ricos! José foi obrigado a jejuar na prisão. De acordo com a história, somente os membros da família dos prisioneiros tinham permissão de lhes levar alimento, e a família de José estava em outro país. Mas depois daquela fase de sua vida, José se tornou fabulosamente rico e foi colocado como administrador de todo o dinheiro do Egito (Gn 41:39−45). Salomão se humilhou em jejum e oração, e Deus aumentou grandemente as suas riquezas e a sua sabedoria (1 Rs 3:10−13). Do mesmo modo, Daniel, que buscou diligentemente a Deus em jejum e oração enquanto estava no cativeiro na Babilônia, recebeu sabedoria acima de todos os outros e prosperou grandemente nos dias do rei Dario (Dn 6:1−4).

Deus também disse que saúde e cura se seguiriam ao jejum. Ele disse acerca do jejum que Ele mesmo escolheu: "Então romperá a tua luz como a alva, a tua cura brotará sem detença" (Is 58:8). O jejum nos humilha e traz clareza, permitindo até mesmo que tiremos a falta de perdão e a amargura do nosso coração. Algumas pessoas tentaram incessantemente perdoar realmente alguém, mas nunca conseguiram deixar o assunto para trás. Comece um jejum, e confie em Deus para trabalhar essa dificuldade em seu coração. Anteriormente, falei com você sobre como o jejum nos ajuda fisicamente porque ele purifica o nosso corpo e dá aos nossos órgãos tempo para descansar. Mas ele também nos ajuda a fazer uma "limpeza geral" no sentido espiritual, porque nos torna sensíveis aos desejos do Senhor. A falta de perdão, a amargura e coisas semelhantes, tudo isto pode estar ligado a doenças, fadiga, estresse, e muito mais.

O jejum também rompe com vícios sexuais e com os poderes demoníacos.

Quando estávamos nos preparamos para nossos jejuns anuais, o Senhor me disse para fazer cultos de milagres. Ele disse: "Quero que você coloque um anúncio de meia página ou de página inteira no jornal. Diga àqueles que sofrem de enfermidades como AIDS, leucemia, doenças cardíacas e outras coisas, que existe uma igreja que tem jejuado e buscado a Deus em favor da cura". Quando jejua e ora, você deve *ter a expectativa* de que os milagres se seguirão.

O jejum também rompe com os vícios sexuais e com os poderes demoníacos. Ele romperá com grandes pecados presentes na vida das pessoas. Em Mateus 17:21, Jesus falou a respeito daquele demônio teimoso que "esta casta não se expele senão por meio de oração e jejum", lembra-se? Existe uma história fenomenal no livro de Juízes, capítulos 19-20, onde o jejum fez a diferença em uma grande batalha contra um povo dominado pela perversão sexual. Um levita estava viajando com sua concubina e parou na terra de Gibeá, que pertencia aos benjamitas. Os homens daquela cidade haviam se tornado maus e tinham prazer em atos homossexuais perversos (Jz 19:22).

Os homens cercaram a casa que o levita estava visitando e exigiram que ele fosse levado para fora para que eles pudessem "conhecê-lo carnalmente". Eles acabaram violentando e assassinando brutalmente a concubina do homem, e ela morreu na porta da casa. Quando ele a encontrou deitada ali na manhã seguinte, ficou furioso. Enviou pedaços do seu corpo com uma palavra a todas as tribos de Israel, condenando-os por permitirem que aquele tipo de maldade existisse no meio deles e exigindo que se levantassem e fizessem alguma coisa a respeito.

Os exércitos de Israel se reuniram contra Benjamim. Eles saíram para lutar e perderam vinte e dois mil homens no primeiro dia (Jz 20:21). Eles voltaram, reagruparam-se, e lutaram contra os benjamitas novamente, desta vez perdendo dezoito mil homens (v. 25). Antes de saírem para lutar no terceiro dia, Deus enviou o profeta Finéias com uma mensagem para que eles *jejuassem* e orassem. Assim, os homens jejuaram durante vinte e quatro horas, e quando saíram novamente contra aquele espírito de homossexualismo, o poder dele foi quebrado e ele foi derrotado (vv. 26-48)!

Ora, nós não lutamos contra a carne e o sangue. Mas existe um espírito por trás do homossexualismo. Existe um espírito por trás da pornografia. Existe um espírito por trás do adultério. Existe um espírito por trás da fornicação. Esses espíritos demoníacos da perversão manipulam e usam as pessoas como marionetes. Mas o jejum quebrará a fortaleza dos vícios sexuais demoníacos como a pornografia, o homossexualismo, o adultério, a fornicação e a luxúria.

Deus também colocará o Seu foco nos seus filhos, que estão sendo envolvidos e destruídos pelas artimanhas do inimigo. No livro de Joel, Deus convocou um santo jejum. E Ele disse: "E acontecerá, depois, que derramarei o Meu Espírito sobre toda a carne; vossos filhos e vossas filhas profetizarão" (Jl 2:28). Muitas vezes, as recompensas do jejum vêm depois de jejuarmos, embora de tempos em tempos as respostas possam vir durante o jejum. Veja a história do filho de Ezequias, Manassés, que se tornou rei de Judá (2 Cr 33:1–13). Manassés era um rei mau a quem Deus havia advertido muitas vezes, em vão. Então o exército da Assíria capturou o filho de Ezequias, colocou um anzol no seu nariz, atou-o com cadeias, e levou-o para a Babilônia. Na sua angústia, Manassés clamou a Deus e se humilhou com jejuns. A Bíblia diz que Deus ouviu o seu clamor e que o "fez voltar para Jerusalém, ao seu reino; então, reconheceu Manassés que o Senhor era Deus" (v. 13).

Ouvi muitas histórias de filhos que se desviaram e foram atraídos pelo inimigo, como se tivessem um anzol preso ao nariz. Eles terminaram ficando amarrados à pornografia e presos pelas drogas, pelo álcool, e por toda sorte de vícios. Talvez você tenha crianças rebeldes ou filhos e filhas que estão cometendo fornicação, mas eu lhe digo, o jejum e a oração romperão definitivamente com esses espíritos na vida deles.

Recebi esta carta de Shauna, membro de nossa congregação, falando sobre seu filho. Ela escreveu:

Meu filho era um garoto de quinze anos nascido de novo, cheio do Espírito Santo, quando seu pai cometeu suicídio. Ele voltou as costas para Deus e fugiu Dele durante os últimos quinze anos, mas Deus nunca desistiu dele! Ele e sua esposa vieram ao culto depois que se casaram no Tennessee. Eles se sentaram na galeria. Quando o Sr. fez o apelo, o Sr. Insistiu, dizendo: "O Espírito Santo não me deixa parar de insistir. Ele diz que existe alguém aqui que se não aceitar esta oportunidade hoje, não terá outra nunca mais". Meu filho disse que olhou para frente e o Sr. estava apontando diretamente para ele. Ele olhou para sua esposa e disse: "Vamos?" Ambos desceram e aceitaram Jesus como Senhor e Salvador. A esposa de meu filho foi criada como budista e nunca havia ouvido falar de Jesus até conhecer meu filho. Obrigada por não permitir que o "tempo" impedisse mais uma salvação! Meu jejum terminou no dia 22 de janeiro, e dez dias depois dois de meus pedidos foram atendidos!

"Teu Pai... Te recompensará" (Mt 6:4). Deus não mente. Ele falou comigo que trará almas durante os nossos jejuns anuais, e vimos os frutos dessa recompensa também. As bênçãos a trinta por um, a sessenta por um e a cem por um estão disponíveis na vida de todo crente. Deus não faz acepção de pessoas. O que Ele fez em nossa igreja, na vida de nossos membros, Ele fará por você também quando dispuser o seu coração a buscá-lo através do jejum.

Capítulo 9

Nada Será Impossível – Funciona!

Louvarei com cânticos o nome de Deus, exaltá-lo-ei com ações de graças. Será isso muito mais agradável ao Senhor do que um boi ou um novilho com chifres e unhas. Vejam isso os aflitos e se alegrem; quanto a vós outros que buscais a Deus, que o vosso coração reviva.

— Salmo 69:30-32

Eu poderia lhe contar muito mais sobre o que Deus fará quando você jejuar, mas os testemunhos de pessoas da nossa igreja, a Free Chapel, que participam do nosso jejum anual dizem tudo. O meu coração fica impressionado todos os anos quando começamos a ouvir os testemunhos de cura, de bênçãos financeiras, de filhos perdidos voltando ao lar, e muito mais.

Histórias de Esperança

Susan havia trabalhado em uma empresa por quinze anos, mas havia perdido seu emprego quando a empresa foi comprada por outra companhia. Para piorar as coisas, em dezembro, o irmão de trinta e cinco anos de Susan morreu de repente, deixando-a profundamente angustiada e com o coração partido. Ela encontrou graça para se unir ao jejum com a igreja no início do ano. Para sua surpresa, a empresa contratou-a em março, e disse: "Vamos lhe dar um ano de salário e de benefícios". Com esse dinheiro, ela e seu marido se livraram das dívidas, exceto à de sua casa, e puderam comprar um carro mais novo. Mais tarde ela nos contou que, em resultado do jejum, Deus restaurou o seu desejo de viver.

Darren e sua esposa, Sarah, ficaram sabendo que não podiam ter filhos. Eles participaram do jejum de vinte e um dias. Mais tarde, naquele ano, ele testemunhou: "O diabo tentou destruir a bênção de Deus, mas temos um bebê em nossos braços este ano que não tínhamos no ano passado!".

Recebi um bilhete de Joan, outra de nossos membros, que escreveu: "Meu marido aceitou o desafio do jejum de vinte e um dias, embora ainda não fosse salvo. Depois de quatorze dias de jejum, ele acordou no meio da noite chorando. Na manhã seguinte, ele entregou sua vida a Cristo e foi batizado com o Espírito Santo naquela noite! Meu marido não apenas foi salvo em um jejum de vinte e um dias, como no dia 13 de fevereiro meu marido e todos os nossos filhos, e até minha cunhada, foram batizados. A Deus seja a glória!".

Lisa e seu filho, Ben, costumavam frequentar a Free Chapel. A vida deles sofreu uma reviravolta depois que Ben foi diagnosticado com leucemia. Ele passou por um tratamento de quimioterapia e teve todos os efeitos colaterais. No dia 5 de janeiro, o primeiro domingo de janeiro quando começamos o jejum, Ben estava deitado na Unidade de Tratamento Intensivo, literalmente lutando por sua vida, com uma febre de 40 graus. Eu sabia da gravidade da situação, então declarei que começaríamos aquele jejum pela recuperação de Ben. Lisa me disse que ele acordou naquele instante – a febre cedeu, ele não sofreu danos cerebrais, e a leucemia estacionou totalmente.

Mas a história de Lisa não para por aí. Ela participou do jejum de vinte e um dias naquele ano e continuou jejuando por quarenta dias. Esta mãe em crise financeira, com um filho próximo da morte e sofrendo de leucemia, jejuou durante quarenta dias. Deus honra esse tipo de fé e de devoção. O Espírito Santo falou com um homem de nossa igreja e sua esposa para comprarem uma camionete totalmente nova para Lisa. Chamei-a e perguntei se ela podia vir ao escritório da igreja, mas não lhe disse nada além disso. Quando Lisa estava a caminho da igreja, o carro que estava dirigindo na época quebrou! Ela finalmente chegou, terrivelmente desconsolada, sem ter ideia do que estava para acontecer. Entreguei-lhe as chaves de uma bela e nova camionete completa com DVD player para o Ben – e um cheque de mais cinco mil dólares que o casal queria dar a ela!

Várias semanas depois, chamei-a ao púlpito e compartilhamos o seu testemunho. Mais cedo, naquela manhã, perguntei-lhe quanto ela ainda devia. Ela disse que só devia vinte mil dólares pela casa, porque havia quitado todas as outras dívidas com a oferta anterior de cinco mil dólares.

No culto daquela manhã, entreguei a ela outro cheque daquele mesmo casal, desta vez de vinte e cinco mil dólares. Lisa e seu filho haviam vivido seu último ano de pobreza, graças a um futuro livre de dívidas que receberam como a recompensa pública que Deus derramou sobre o sacrifício de obediência que fizeram.

Em um determinado ano, depois de três dias de ter iniciado o jejum, Melissa testemunhou que seu pai estava lutando contra o câncer de próstata e que ela havia iniciado um jejum em favor dele. Quando ele foi aos médicos para realizar um procedimento, para surpresa destes, não foi encontrado sinal de câncer em lugar algum! Deus o havia curado. O que amo a respeito deste testemunho foi que ela não parou depois dos três dias. Ela disse: "Vou continuar para ver o que mais Deus quer fazer". Deus não faz acepção de pessoas. O prazer Dele é recompensar Seus filhos. Ele é honrado e engrandecido quando estamos dispostos a buscar a Sua face a qualquer preço.

O jejum tirará a sua vida e o seu ministério da obscuridade. Certo domingo, Steve testemunhou que havia jejuado por quarenta dias. Ele disse:

Tenho um ministério de tempo integral cujo alvo é visitar prisões e cadeias. Mas vou ser sincero com vocês: sou um pregador, e sou cheio do Espírito Santo, mas Deus me disse que eu tinha um espírito de glutonaria. Foi por isso que comecei este jejum. Não pedi que Deus abrisse portas para mim; simplesmente disse a Ele que estava farto daquele espírito de glutonaria que me enganava e me mantinha de fora das coisas espirituais que

Deus tinha para a minha vida, e que trancava as portas, as finanças e tudo o mais que Deus tem para mim.

Este irmão começou a ver mais portas abertas para ele do que podia dar conta. Ele começou a receber convites para compartilhar o evangelho em outras prisões e para ser entrevistado por estações de TV – ele chegou a ser entre-vistado por um policial que costumava prendê-lo antes de Steve entregar sua vida ao Senhor.

O Senhor me garantiu ao longo dos anos que o jejum trará os perdidos. Cheryl nos contou sobre sua prima não salva de vinte e nove anos, Debbie, que ligou para ela do nada durante o jejum anual. Ela estava angustiada e queria se encontrar com Cheryl, e disse: "Não precisamos comer nem nada. Quero apenas conversar com você"; Debbie começou a compartilhar com Cheryl a respeito dos pro-blemas que estava tendo em seu casamento e muito mais. Cheryl disse a ela: "A melhor coisa que você pode fazer, Debbie, é encontrar um relacionamento com Jesus por si mesma. Não sei se alguma vez você orou e O aceitou, mas não posso sair daqui hoje sem lhe perguntar se você já foi salva". Debbie orou de boa vontade com sua prima e aceitou a Cristo pela primeira vez em sua vida!

O jejum deixa você mais sensível ao tempo de ação e à voz do Espírito Santo. Mesmo estando no meio do jejum, Cheryl teve uma ousadia que normalmente não teria. O jejum faz uma obra tamanha em sua vida que os perdidos muitas vezes são atraídos a você e ao que Deus está fa-zendo. Não se trata de manipular Deus através das nossas obras, forçando a Sua mão a operar. O jejum simplesmente quebra você e leva a sua fé para um novo nível.

A esta altura, espero que eu tenha sido capaz de esclare-cer as más interpretações sobre o que é o jejum – e o que ele não é – e por que ele é uma disciplina que não deve faltar na vida de todo crente. O jejum é parte vital daquele cordão de três dobras dos deveres naturais do cristão que Jesus definiu em Mateus 6: ofertar, orar e jejuar. Ele puri-fica o seu corpo e promove a saúde de muitas formas prá-ticas. Ele o leva a um relacionamento mais profundo com o Senhor, muito mais profundo do que o relacionamento que você pode desfrutar através da religião rotineira. Não espere uma ocasião propícia. Como Deus revelou, essa ocasião simplesmente não existe. Você não é velho demais ou jovem demais. Afinal, Ana era uma profetiza que estava na casa dos oitenta anos quando adorava dia e noite, jeju-ando e orando (Lc 2:37).

Como mencionei anteriormente, se Jesus pudesse ter recebido o que precisava para exercer o Seu ministério aqui na Terra – sem jejuar – Ele não teria jejuado. Mas Ele jejuou, e tem continuado a jejuar por nós por dois mil anos. Durante a Sua última refeição com os discí-pulos, Ele lhes entregou o cálice e disse: "Desta hora em diante, não beberei deste fruto da videira, até aquele dia em que o hei de beber de novo, convosco no reino de Meu Pai" (Mt 26:29). Vi pessoas que nunca haviam jeju-ado antes viverem reviravoltas maravilhosas em suas vidas. Se você está pronto para trazer bênçãos sobrenaturais à sua vida e para liberar o poder de Deus para vencer qual-quer situação, comece hoje a fazer da disciplina do jejum parte da sua vida. Você será grandemente recompensado!

Notas

Capítulo 2 – Destronando o Rei Estômago

1. *Matthew Henry's Commentary*, "Números 11," http://www. htmlbible.com/kjv30/henryH04C011.htm (acesso em 24 de agosto de 2007).

Capítulo 3 – Quanto Jejuar? Por Quanto Tempo? Até que Ponto é Saudável?

1. Bob Rodgers, *101 Reasons to Fast* (Louisville, KY: Bob Rodgers Ministries, 1995), 52.
2. Don Colbert, MD, *Toxic Relief* (Lake Mary, FL: Siloam, 2003), 155.
3. Rodgers, *101 Reasons to Fast*, 53.
4. Ibid., 50–51.
5. Ibid., 50.
6. Ibid., 51.

Capítulo 5 – Espantando Moscas

1. Richard Gazowsky, *Prophetic Whisper* (San Francisco, CA: Christian WYSIWYG Filmworks, 1998) 31–35.
2. Ibid.

3. Ibid.
4. Colbert, *Toxic Relief,* 30.

Capítulo 7 – Você Será Saciado

1. Colbert, *Toxic Relief*, 32.
2. Ibid., 39.

Sobre o Autor

Jentezen Franklin é pastor da igreja Free Chapel em Gainesville, Geórgia, uma congregação cuja frequência alcança dez mil pessoas todas as semanas. Citada como uma das quarenta principais igrejas dos Estados Unidos pela revista *Outreach*, a Free Chapel recentemente cresceu, expandindo-se para uma nova localidade em Orange County, Califórnia, onde o Pastor Franklin também prega semanalmente.

Através de sua experiência como pastor, mestre, músico e escritor, o Pastor Franklin procura ajudar as pessoas a encontrarem Deus através da adoração inspirada e da aplicação relevante da Palavra de Deus em suas vidas diárias. O seu programa de televisão em cadeia nacional, *Kingdom Connection*, é assistido semanalmente no horário nobre através de diversas redes nacionais e internacionais.

O Pastor Franklin é um conferencista popular em diversas conferências em todo o país e em todo o mundo. Ele também escreveu diversos livros, inclusive os best-sellers *Fasting Volume I: The Private Discipline That Brings Public Reward* (Jejum, Volume I: A Disciplina Privada que traz Recompensas Públicas), *Fasting Volume II: Opening a Door to God's Promises* (Jejum, Volume II: Abrindo a Porta para as Promessas de Deus), e mais recentemente, *Right People, Right Place, Right Plan* (Pessoas Certas, Lugar Certo, Plano Certo), o qual rapidamente se tornou um best-seller.

O Pastor Franklin e sua esposa, Cherise, moram em Gainesville, na Geórgia, com seus cinco maravilhosos filhos.

Para maiores informações, entre em contato com:

Jentezen Franklin Ministries
P. O. Box 315
Gainesville, GA 30503

Ou visite o nosso site:
www.jentezenfranklin.org
www.freechapel.org

42486982R00058

Made in the USA
Middletown, DE
13 April 2017